Taxioorlog

# Taxi-oorlog

Michael Harrison

SJALOOM

Website: www.sjaloom.nl
E-mail: post@sjaloom.nl

Een uitgave van Sjaloom, Postbus 1895, 1000 BW Amsterdam


Oorspronkelijke uitgave Oxford University Press, Oxford, Engeland
Oorspronkelijke titel *Facing the dark, Road rage – or Murder?*

Vertaling *Ruud van de Plassche*, Nijmegen
Omslagmaquette *Joep Bertrams*, Amsterdam
Omslagfoto *Leon Hermans*, Amsterdam
Omslagontwerp *Andrea Scharroo*, Amsterdam
Verspreiding voor België door *Uitgeverij Lannoo*, Tielt
ISBN 90 6249 443 9, NUR 284

CRIMI

| | |
|---|---|
| *Mes in de rug* | *Hans Erik Engqvist* |
| *Moordspel in het bos* | *Sandra Scoppertone* |
| *Ren voor je leven* | *David Line* |
| *Met je rug tegen de muur* | *Bernhard Ashley* |
| *Haarscheurtjes* | *Robert Taylor* |
| *Het Nerthusmysterie* | *Theo Hoogstraaten* |
| *IJzige poppen* | *Theo Hoogstraaten* |
| *Fietsenjacht* | *Hugh Galt* |
| *Doodsklok* | *Nicholas Wilde* |
| *Paardendieven* | *Hugh Galt* |
| *Blind date* | *Theo Hoogstraaten* |
| *Moordzaak* | *Theo Engelen* |
| *De Liftster* | *Theo Hoogstraaten* |
| *Droomvrouw vermist* | *Theo Engelen* |

# 1
# Simon

Op dinsdag werd papa voor moord gearresteerd. Nadat de politie de deur achter zich had dichtgetrokken, bleven mama en ik op de bank zitten en keken, voor wat me een eeuwigheid toescheen, naar de grond. Toen liep ze door de gang naar de keuken, en ik hoorde haar water opzetten. Ze bracht me een mok mierzoete thee en zei dat ik die op moest drinken. Ze klonk vreemd, alsof ze heel ver weg was, of misschien was ik dat wel. Alles was veranderd vanaf het moment dat ik de deur voor die twee mannen had opengedaan. Dat maakte het op de een of andere manier nog erger: dat ík ze had binnengelaten, dat ík ons gezinsleven had beëindigd.

Het was heel snel gegaan: Is je vader thuis? Ik ben inspecteur Zus en dat is brigadier Zo. Kunnen we hem even spreken, alsjeblieft? Dan het voorlezen van zijn rechten, zoals ik op tv zo vaak had gezien. Toen waren ze weg en bleven wij alleen achter.

'Wat heeft hij gedaan?' zei ik en ik tuurde in mijn mok thee.

'Niets,' zei mama. 'Het is een vergissing, dat zul je wel zien.'

Mijn gedachten keerden de hele tijd terug naar het moment dat ik de deur opendeed. Ik bleef maar denken dat ik hem dicht had moeten gooien, of had moeten zeggen dat hij er niet was, of... Twee mannen, gewone mannen in pak.

En toen besefte ik opeens dat de inspecteur 'moord' had gezegd – *ik arresteer u voor de moord op* – en ik begon zo hevig te trillen dat de thee uit de mok op mijn spijkerbroek klotste.

'Ze zeiden "moord"...'

'Je vader zou niemand kunnen vermoorden,' zei mama. 'Moord, dat nooit.'

'Maar op wie dan?'

'O god, nee!' riep mama. Ze stond op en liep de keuken weer in. Plotseling begreep ik wat ze daar deed. Ze bladerde door de stapel oude kranten in het gootsteenkastje. Ze gooide daar 's avonds altijd de krant in en zei dan dat ze geen tijd had om hem te lezen, dat ze het te druk had. Zodra het kastje zo vol zat dat de deur niet meer dichtging, pakte ze alle kranten eruit en nam ze door, waarbij ze het weken of maanden oude nieuws van commentaar voorzag. Dan moest papa de hele stapel naar de oud-papierbak brengen en begon het weer van voor af aan.

Het geritsel stopte en het was stil. Ik stond op en trok de met thee doorweekte spijkerstof van mijn dijen. Ik liep, dwong mijzelf te lopen, en ging de keuken in. Mama is lang en heeft lang blond haar; elegant, noemde papa haar altijd. Ze is ook levenslustig, boordevol energie en enthousiasme – gewoonlijk.

Nu stond ze roerloos, voorovergebogen. Ze had het plaatselijke nieuwsblad van afgelopen vrijdag voor zich op tafel uitgespreid. Ik ging naast haar staan. Het ging om het hoofdartikel op de voorpagina. De letters van de kop deden me denken aan het opschrift op een grafsteen:

**Verkeersagressie leidt tot moord**

Je zag een grote, vage foto van een auto, een Ford Granada, en in een kadertje een pasfoto van een glimlachende, kale man.

Mama zag me kijken en draaide de krant om.

**Drie-nul verloren!**

schreeuwde nu een andere kop. Papa, mama en ik. Alledrie. Verloren.

'Je komt te laat op school,' zei mama zonder op te kijken.

Ik staarde haar aan. School? Hoe kon ik nu naar school gaan als mijn vader zojuist wegens moord was gearresteerd? Wat zou ik daar aantreffen? Zwijgen en afgewende blikken? Geschreeuw en gejoel? Onbehaaglijk medelijden? Vragen, vragen en nog eens vragen waarop ik geen antwoord wist.

'Vandaag weet niemand er nog van,' zei mama, die mijn gedachten las, 'en morgen is het allemaal weer voorbij. Trouwens, ik moet van alles gaan regelen, een advocaat en meer van dat soort dingen. Ik wil niet dat je je hier in je eentje zorgen zit te maken. Je gaat naar school en probeert daar afleiding te zoeken. Ik zal hier zijn als je thuiskomt, en papa ook, let maar op.'

Ik peinsde er niet over om naar school te gaan, maar ik wilde er met mama geen ruzie over maken. Ik haalde mijn schouders op, liep naar de gang en pakte mijn schooltas. Mama volgde me. Ik kon zien dat ze helemaal klaar was voor een emotioneel afscheid maar dat kon ik niet aan, zodat ik me alleen even omdraaide, over mijn schouder gedag zei en voor de tweede keer die ochtend de deur opendeed. Doe één deur dicht en ze zitten allemaal dicht, dacht ik bij de aanblik van alle gesloten voordeuren aan de overkant. Deze ochtend was alles onzinnig, en mijn gedachten al helemaal.

Toen ik over het pad naar het hekje liep, verdwenen de deuren achter het voorbijrazende verkeer en keken alleen de bovenramen me nog afkeurend aan. Ik sloeg rechtsaf naar school voor het geval mama me in de gaten hield en liep door tot ik de hoek om en buiten zicht was.

Daar was misschien een deel van het antwoord op mijn directe probleem: Blandy's Stores, een grootse naam voor een verlopen kranten-, tabaks- en snoepwinkel. Meneer Blandy liet zoals gewoonlijk zijn hangbuik op de toonbank rusten; zijn groene vest was bezaaid met de gebruikelijke sigarettenas. Hij bromde toen ik binnenkwam. Hij had een hekel aan schoolkinderen, misschien wel omdat we zo ongeveer de enige mensen waren die zijn winkel bezochten. Ik kon het plaatselijke nieuwsblad niet ontdekken tussen de paar kranten die hij voor zich had liggen. Om de een of andere reden wilde ik er niet naar vragen. Ik dacht dat hij dan misschien wilde weten wat ik ermee moest. Ik vond de gedachte dat hij het zou weten onverdraaglijk. Ik kocht een reep chocola en legde het gepaste bedrag op de toonbank. Meneer Blandy bromde opnieuw, waarop ik naar buiten liep.

Ik ging beslist niet naar school. Maar waarheen dan wel? Ik moest die krant lezen. De echte krantenkiosken in het stadscentrum zouden hem nog wel hebben, en dat was bovendien precies de andere kant op dan school. Die kiosken waren mijn beste kans. Ik stond aan de kant van de weg te wachten tot ik kon oversteken. Het verkeer reed met een snelheid die precies geen opening vrijliet; de ene auto na de andere knarste in de laagste versnelling voorbij en braakte wolken uitlaatgassen uit. Ik gaf het op en liep verder in de richting van de stoplichten. Het was een stukje de verkeerde kant op, maar ik had bepaald geen haast. Ik moest een hele dag zien te vullen. In elk geval regende het niet meer vandaag.

Toen ik dichter bij het centrum kwam, herinnerde ik me de bibliotheek. Daar zouden ze de plaatselijke krant vast hebben. Ze hadden er ook een rustig plekje waar ik kon zitten, de krant lezen en nadenken, en als iemand vroeg waarom ik niet op school was, kon ik zeggen dat ik aan een project werkte. Wat eigenlijk de waarheid was, alleen was het geen project voor school.

De bibliotheek, waarvoor je drie stenen treden op moest en twee draaideuren door, ging net open. Een paar oude vrouwen met boodschappentassen scharrelden juist naar binnen. Het lawaai van het verkeer werd gedempt door de eerste deur en was na de tweede niet meer hoorbaar. Aan de overkant van de zaal schreeuwde de kop me toe vanuit het tijdschriftenrek. Ik liep erheen en begon weer te beven.

'Kan ik je ergens mee helpen?' vroeg de bibliothecaresse toen ik de balie voorbijliep. In tegenstelling tot meneer

Blandy glimlachte ze en droeg ze mooie kleren.

'Het plaatselijke nieuwsblad van vorige week, voor een project,' zei ik. Ze glimlachte en wees ernaar.

'Zeg het maar als ik je kan helpen.' Als het eens zo gemakkelijk was!

Ik nam de krant mee naar een lege tafel en spreidde de voorpagina voor me uit. Ik slikte moeizaam, greep de stoel vast om niet zo te trillen, en begon te lezen.

## Verkeersagressie leidt tot moord

Woensdagavond jongstleden is een plaatselijke ondernemer, Bill Westcot, dood aangetroffen in zijn uitgebrande auto, op de weg van Thorney naar Grafton. Hij had ernstige hoofdwonden. Inspecteur Mopper, die met het onderzoek is belast, zei dat de politie niets uitsluit. Hij gaf toe dat het om een nieuw geval van verkeersagressie zou kunnen gaan. 'In dit stadium kunnen wij hierover nog niets zeggen,' waarschuwde hij echter. 'Dit kan gewoon een tragisch ongeluk zijn.' Hij is dringend op zoek naar mogelijke getuigen en verzoekt iedereen die woensdag tussen zes uur 's avonds en één uur 's nachts op de weg van Grafton naar Thorney is geweest, contact op te nemen.

Bill Westcot, van Chidham Road 16, was een bekende figuur in onze gemeenschap, niet slechts als eigenaar van Westcot Cabs maar ook door zijn liefdadigheidswerk voor gehandicapte kinderen. Zijn vrouw, Christine, was gisteren te geschokt om iets mee te delen, maar Henry Westcot, broer van de heer Westcot, vraagt iedereen die meer weet met de politie te praten. Bill Westcot laat een vrouw en dochter achter.

Ik las het bericht een paar keer over, waarna ik ging zitten en ernaar staarde. William Westcot was de naam die de politie had genoemd toen ze papa arresteerden. Die had me op dat moment niets gezegd maar nu weerklonk het in mijn hoofd: William Westcot, William Westcot, William Westcot...

Ik rommelde in mijn schooltas. Toen herinnerde ik me dat ik in mijn haast om het huis te verlaten mijn etui boven bij mijn huiswerk had laten liggen. Ik liep naar de bibliothecaresse. Ze keek op van haar computer en glimlachte. Het was zo stil in de bibliotheek dat ik de stilte bijna niet durfde te verbreken. 'Pardon,' zei ik. 'Ik heb mijn etui vergeten.' Voordat ik verder kon gaan, overhandigde ze me een pen en een vel oud printpapier met aan een kant tekst.

'Nog iets?'

'Hebt u hier topografische kaarten van de omgeving?' Ze wees naar de schappen links van de kranten, met het opschrift PLAATSELIJKE NASLAGWERKEN. 'Bedankt,' zei ik. 'Ik breng de pen straks terug.'

'Doe dat maar,' zei ze, 'want ik wil de politie niet achter je aan sturen.'

Leuk hoor, dacht ik toen ik terugliep en blij was dat ik niet naar school was gegaan. Ik vond de kaart en nam die mee naar mijn tafel. Ik wist niet waarom ik dit allemaal deed. Ik had mijn Geweldige Idee nog niet gehad en ik veronderstel dat ik eigenlijk vooral tijd aan het rekken was en mezelf wat te doen gaf, zodat ik de veiligheid van de bibliotheek niet hoefde te verlaten. Ik moet bovendien toegeven dat een deel van me geloofde dat papa schuldig was, omdat hij anders toch niet zou zijn gearresteerd. En er waren andere dingen die ik probeerde weg te stoppen, uit mijn gedachten te bannen, maar die probeerden telkens als ik niet oplette weer terug te komen en vraten aan me.

Ik vond Grafton. Het lag ongeveer acht kilometer ten noordoosten van ons huis. Thorney was nog eens zo'n zes kilometer verder via een B-weg. Ik probeerde de kaart over te trekken maar het vel papier dat ze me gegeven had, was niet doorzichtig genoeg en de tekst op de achterkant scheen op sommige plekken door. Ik draaide het om. Het was een deel van de bibliotheekcatalogus, een lijst van schrijvers en boeken en getallen en symbolen en kleine letters. Mijn oog viel op

CHRISTIE, AGATHA: MOORD OP DE NIJL

misschien omdat de film ervan vorige week weer eens op tv was herhaald. Op dat moment kreeg ik mijn Geweldige Idee. Ik kon mezelf niet wijsmaken dat ik net als Hercule Poirot de misdaad kon oplossen, maar als ik privé-detective werd, had ik in elk geval iets te doen, kon ik ergens heengaan en mijn gedachten verzetten. Dat was beter dan hier maar te zitten.

Ik draaide het papier om en tekende het deel van de kaart waarop de route vanaf ons huis stond, zorgvuldig na. Ik schreef de gegevens uit het krantenverslag erbij: namen, adressen, tijden. Ik vond op de boekenplank een stadsplattegrond, maakte een schets die aangaf waar Chidham Road was en vond toen Westcot Cabs en het adres daarvan in de *Gouden Gids*. Ik voegde ons huis aan de schets toe.

Ik dacht dat ik nu waarschijnlijk niet langer in de bibliotheek kon blijven zonder argwaan te wekken. Daarom stak ik het vel papier in mijn zak, legde de kaarten terug op de plank en bracht de pen terug naar de bibliothecaresse.

'Heb je alles gevonden wat je nodig had?'

'Ja, heel erg bedankt. Maar misschien moet ik nog een keer terugkomen om iets na te zoeken.'

'Daar zijn we voor,' zei ze.

Het was moeilijk om de bibliotheek uit te lopen. Het verkeer brulde me toe als een troep hongerige beesten die niets liever wilden dan mij aan stukken scheuren. Ik schokschouderde en rende naar huis. Ik had mijn fiets nodig.

# 2
# Simon

Ik fietste de stad uit, naar Grafton. Het was een prachtige lenteochtend. Op dat moment werd ik opgemonterd door de gedachte dat ik een essentieel bewijsstuk zou vinden dat de blunderende politie was ontgaan en zo mijn vader zou bevrijden. Ik trapte stevig door en fantaseerde een hele reeks krantenberichten bij elkaar, het ene nog overdrevener dan het andere. Ik vergat dat je nooit te veel moet hopen.

Ik werd weer bij zinnen gebracht toen een zwarte BMW hard claxonneerde en me vervolgens voorbij zoefde. Ik zond hem een grof gebaar achterna. De auto kwam gierend tot stilstand aan de kant van de weg en er sprong een rood aangelopen man uit, die vloekend en tierend op me afliep: 'Waarom zit jij **** niet op school in plaats van over die ****weg te zwieren?' Hij haalde een mobiele telefoon uit zijn zak en zwaaide ermee in mijn richting alsof het een wapen was. 'Ik zou eigenlijk de politie moeten bellen om je aan te geven. Of beter, ik bel je school en geef je aan wegens spijbelen. Naar welke school ga je? Zeg op.'

'Henry Harting,' loog ik. Dat was de andere school in de stad. Om de een of andere reden was ik niet bang voor deze man. Dat had ik wel moeten zijn, en toen ik er later over nadacht, werd ik bang. Ik bevond me alleen op een afgelegen weg met een boze, vreemde man. Niemand wist waar ik was. Hij had alles kunnen doen wat hij wilde. Toch vond ik hem gewoon zielig: een kleine, rood aangelopen man die op en neer sprong en lelijke woorden gebruikte tegen een jongen op een fiets. Hij zwaaide opnieuw met zijn telefoon naar me.

'Eigenlijk heb ik hier allemaal geen tijd voor,' zei hij. 'Als jij je kansen op een goede opleiding wilt vergooien en daarbij je eigen graf graaft, nou, dan wens ik je veel succes.' Hij beende terug naar zijn auto en scheurde met piepende banden weg. Ik zwaaide naar hem, met een beleefd gebaar, zodra hij de bocht om was. De stank van uitlaatgassen hing in de lucht.

Terwijl ik verder fietste, kwamen er allerlei krantenberichten in me op, berichten over mijn lijk dat in een greppel was gedumpt:

'... het heeft er de schijn van dat hij met een mobiele telefoon is doodgeslagen,' zei inspecteur Mopnogiets. 'Ieder motief ontbreekt en we weten niet wat hij hier deed. Zijn moeder, die natuurlijk radeloos is, zei dat ze dacht dat hij naar school was gegaan...'

In Grafton was een dorpswinkel. Ik aarzelde of ik naar binnen zou gaan, maar ik begon flink honger te krijgen en hunkerde naar meer chocola. Er waren drie vrouwen in de winkel, twee klanten en de verkoopster achter de toonbank, en ze keken me alledrie aan. 'Geen school?' zei een van hen nogal bits.

'De leraren hebben weer eens zo'n studiedag,' zei ik. 'De school is dicht.' Ik dacht bij mezelf dat zij er te oud uitzagen om nog schoolgaande kinderen te hebben. Ik wist dat er kinderen uit Grafton met de bus naar onze school gingen.

'Ik snap niet waarom ze niet in hun vakantie kunnen studeren,' zei de andere klant. 'Die hebben ze immers genoeg.'

'Ik wilde de kerk gaan bezichtigen,' zei ik, en voelde me alsof ik een stukje vlees naar een waakhond wierp. 'Weet u of die open is?'

Toen ik wegfietste, vroeg ik me af wat er zou zijn gebeurd als ik ze de waarheid had verteld. Ik geloof niet dat ze dan óók zo vriendelijk zouden zijn geweest, ik denk eerder beslist onvriendelijk. Ik vroeg me af of ik ooit nog in staat zou zijn de waarheid te vertellen. Gelukkig moest ik toch al de kant van de kerk op en maakte de weg een bocht, zodat het eruitzag alsof ik die kant op ging.

Ik was van plan er regelrecht voorbij te fietsen, maar toen ik de hoek omsloeg en het grote stenen gebouw boven het bijbehorende kerkhof zag uittorenen, merkte ik dat ik remde en naar de poort reed. Even later liep ik tussen de grafstenen. Ik besefte dat ik me bijgelovig gedroeg, maar op de een of andere manier zat die smoes met een kerk me niet lekker. In mijn verbeelding hoorde ik de donderslag al. Ik was bang wat het Lot, of God, zou doen als ik Het, of Hem, tartte. Ik had gezegd dat ik de kerk ging bezoeken en dus zou ik dat doen. Trouwens, haast had ik niet.

Ik bracht er niet veel tijd door. Ik liep rond zonder te weten waar ik eigenlijk naar keek. We waren nooit een gezin van kerkgangers of kerkbezoekers geweest, zodat ik geen idee had wat je daar deed. Ik ging een kort moment achterin zitten en dacht: Laat alles goed komen – wat ik maar als mijn versie van een gebed beschouwde – toen er een meisje van mijn leeftijd binnenkwam dat gehaast naar de voorste kerkbank liep en neerknielde. Ik vroeg me vluchtig af waarom ze niet op school was en ging zo stil mogelijk weg.

Ik fietste over de stille landweg, voorbij meidoornhagen en grazige bermen. Alles was zo groen en fris na alle regen die we hadden gehad. Er waren zo weinig auto's dat je elk ervan afzonderlijk hoorde komen en gaan, en afzonderlijk rook. De zon scheen, de vogels floten, de bloemen bloeiden: dit was stukken beter dan school.

Toen sloeg ik een scherpe bocht om en remde hard. Ik legde mijn fiets voorzichtig in de berm, ging rechtop staan en keek om me heen. Dit was de juiste plek, dat kon niet anders. Ik wenste dat ik mijn camera had meegenomen, of pen en papier. Misschien moest ik ze gaan halen en dan terugkomen. Misschien zou het tafereel zich in mijn geheugen griffen. Misschien wilde ik niet dat het zich daar nestelde?

De eerste indruk was er een van zwartheid. Het gras was

geblakerd en verschroeid. De haag leek winters, met gekrulde, verdorde bladeren. Her en der dwarrelden schilfers as. Je zou kunnen denken dat er hier een groot vuur had gewoed, of dat er kortstondig een vliegende schotel was geland. Het is een zwart gat, een zwart gat, bleef ik maar in mezelf herhalen. Te midden van de groene velden en heggen met de restanten van de roomwitte meibloesems en bermbloemen was er zwartheid en dood. Mijn gewone leven was hier in vlammen opgegaan en zou nooit meer hetzelfde zijn. Ik geloofde niet dat papa dit gedaan kon hebben, maar ik wist dat er wel vaker onschuldige mensen werden veroordeeld en pas na jarenlange gevangenisstraf weer vrijkwamen. Was het zelfs niet zo dat sommige onschuldigen nooit meer vrijkwamen?

Hoewel ik me ervoor schaamde, maakte ik me zorgen over mijn leven als zoon van een schuldig bevonden moordenaar. Beelden van mijn toekomst drongen zich op en wilden niet weggaan.

De berm was omgeploegd, doorsneden met voren waarin de bruine aarde zich toonde als in lege miniatuurgraven. De haag daarachter was aan flarden: afgerukte takken hadden lange witte littekens achtergelaten die door de zwartheid heen schemerden. Hier had zich iets gewelddadigs afgespeeld.

Aan de andere kant van de weg was een groot bericht op een bord geplakt:

HELP ONS!

Was u afgelopen woensdag,
7 mei, tussen 18:00 en 01:00
op deze weg?
Zo ja, bel dan
alstublieft de politie
op 01865-52371.

Ik liep langzaam de weg af. In de haag hing nog een stuk blauw-en-wit plastic lint met POLITIE erop. Ze hadden hier dus hun onderzoek afgesloten en alles gefotografeerd, alles verzameld wat er te verzamelen viel. Hoe kon ik zo dom zijn om te denken dat de Grote Jonge Detective hier wel even heen zou fietsen om het essentiële bewijsstuk te vinden dat de simpele plattelandsploeteraars was ontgaan en met die briljante actie zijn vader zou bevrijden. Ik voelde de tranen in mijn ogen springen en knipperde woest. Grote Jonge Detectives huilen niet.

Ik bleef staan en staarde naar de omgewoelde berm, naar de zwartheid. Ik had genoeg gezien. Ik had in de toekomst gekeken en niets dan pijn en leegheid en wanhoop gezien. Ik draaide me om en liep langzaam terug naar mijn fiets. De heldere ochtend bespotte me nu. Ik liep in mijn eigen nacht.

Het was precies deze hopeloosheid die me mijn eerste echte sprankje hoop verschafte. Ik fietste heel langzaam naar huis, waarbij elke pedaalslag me moeite kostte en de lichte helling veranderde in een berg van Sisyfus, liet mijn hoofd hangen en keek nauwelijks waar ik reed. Ik was er al enkele meters voorbij voordat ik besefte wat ik had gezien. Ik stapte af, legde mijn fiets weer neer en liep terug.

Voren in de berm. Bandensporen. Zoals de eerdere. Dezelfde? Ik wist het niet. Op de heenweg waren ze me niet opgevallen. Daar was ook geen reden voor, neem ik aan. Je zou ze waarschijnlijk ook niet opmerken als je ze met de auto voorbijreed en zat te denken aan waar je heenging, of aan waar je vandaan kwam. Ze moesten op een afstand van minstens anderhalve kilometer liggen van de plaats waar de auto was uitgebrand. Ze zagen er hetzelfde uit, maar duizenden auto's moeten dezelfde banden hebben. Ik verwenste mezelf opnieuw omdat ik mijn camera thuis had gelaten, geen pen in de winkel had gekocht.

Ik liep op en neer, bukte, ging weer staan. Ik moet bekennen dat ik geen idee had wat ik aan het doen was, of waarom. De GJD zou een stukje Sherlock Holmes ten beste hebben gegeven: 'Deze sporen moeten zijn gemaakt toen de bodem zacht was. We hebben zevenennegentig millimeter regen gehad tussen 4 en 6 uur 's middags op... Dat betekent dat ze gemaakt moeten zijn door een roodharige man die een spijkerbroek droeg. Zijn moeder ging ooit naar Blackpool...'

Ik hoorde snerpende fietsremmen en keek op. Het meisje van de kerk stond op ongeveer vijf meter afstand, de fiets tussen haar benen, en keek me aan.

'Wat ben je aan het doen?'

Ze stapte af en liep met haar fiets naar me toe. Ze was iets kleiner dan ik, met een rond gezicht, bruin haar tot op haar schouders, bijna mollig. Ze leek me van het goedlachse en gemoedelijke type, maar toen ze dichterbij kwam, zag ik dat ze grote donkere wallen onder haar ogen had en dat haar gezicht heel betrokken en ongelukkig was. Ik herinnerde me hoe ze de kerk was binnen gelopen en had geknield om te bidden.

'Wat ben je aan het doen?' zei ze opnieuw en ik realiseerde me dat ik haar had aangestaard.

'Deze bandensporen aan het bekijken. Het lijkt alsof er hier een auto van de weg is geraakt. Ik vroeg me af wat er gebeurd was.'

'Als je zo'n lijkenpikker bent die de plaats van de moord wil zien, dan zit je verkeerd,' zei ze boos. Ze stapte weer op en fietste hard weg.

'Dat ben ik niet!' riep ik haar achterna. Mijn oog viel op de bos bloemen, in papier verpakt, die in het mandje achter op haar fiets lag en ik besefte plotseling wie ze was.

En plotseling besefte ik ook dat dit niet alleen mijn tragedie was. Er waren meer levens overhoopgehaald.

Ik keek haar na tot ze de bocht om was. Ergens was ik jaloers op haar. Zij mocht verdrietig zijn, en iedereen zou met haar meeleven. Hoe zouden de mensen op mij reageren?

Ik zou haar moeten zeggen dat ik het heel, heel erg vond

dat haar vader dood was, maar ze geloofde vast dat de mijne hem had gedood. Ze moest me haten. Ik haatte mezelf. Ik draaide me om en keek weer omlaag, naar de bandensporen op de grond.

Ik bestudeerde ze. Waren het dezelfde? Als het dezelfde waren, waarom was de auto dan twee keer de berm in gereden? Daar was iets mee. Hoogstwaarschijnlijk had het niets met papa's zaak te maken, maar opeens móést ik het gewoon weten. Ik moest uitvinden hoe het zat.

# 3
# Charley

Die haat ik het allermeest. Nieuwsgierige mensen, lijkenpikkers. Alle soorten nieuwsgierige mensen. En inmiddels ben ik een expert, kan ik een gids schrijven: *De lijkenpikker: zijn gedrag en habitat*, door Charlotte Westcot. Bij biologie hebben we gehad hoe je een determineertabel maakt, hoe je naar de onderscheidende kenmerken moet zoeken, en we hebben een keer geoefend op onze klas. We kwamen erachter dat de Doc Martins van Chloë niet werkten omdat ze die alleen droeg op dagen dat we mevrouw Batlow niet hadden die altijd zo staat op Gepaste Schoolkledij, zoals ze dat noemt. Emily stelde voor haar chagrijnige gezichtsuitdrukking te gebruiken, maar Amy beweerde dat ze haar afgelopen september een keer had zien glimlachen dus dat werkte ook niet...

Tijdens het fietsen verzin ik dat allemaal bij elkaar. Ik verzin de laatste tijd van alles bij elkaar. Zodat ik er niet aan denk.

*De lijkenpikker, zijn gedrag en habitat*, door Charlotte Westcot.

1 Heeft hij een camera of blocnote bij zich?
Bij een camera is het een sensatiefotograaf.
Bij een blocnote, een sensatiejournalist.
Bij geen van beide, ga naar 2.

2 Kende je de lijkenpikker al voor het gebeurde?
Zo nee, dan kan het een vermomde journalist zijn.
Zo ja, dan...

Het maakt het eigenlijk nog erger. Als papa gewoon gestorven was, zou alle medelijden die over me heen is gegoten, als vanillesaus over een kleffe pudding, misschien zoet en warm en troostend hebben aangevoeld. Maar hij is niet gewoon doodgegaan en onder al dat medelijden schuilt dat lijkenpikkerige verlangen naar de sappige details. Mama lijkt het niet te merken. Ze zit daar maar, tot haar enkels in de vanillesaus, omgeven door lijkenpikkers, en herhaalt eindeloos wat de politie haar heeft gezegd totdat ik het wel uit kan schreeuwen en naar buiten moet, ook al hangen er waarschijnlijk lijkenpikkers rond het huis. Ik gebruik niet langer de poort aan de voorkant, maar zet mijn fiets op slot tegen de lantaarnpaal in het steegje en klim over het hek aan de achterkant.

Het overvalt me wanneer ik die jongen daar aan de kant van de weg zie staan. Ik ben zo verbaasd – waarom is hij niet op school? – dat ik hard rem en hem aankijk. Hij staat met zijn rug naar me toe, gebogen over de berm.

'Wat ben je aan het doen?' zeg ik. Hij draait zich om en staat dan op. Hij ziet er niet uit als een lijkenpikker. Hij is zo te zien van mijn leeftijd, lang en mager, met blond haar. Hij staart me aan. Het valt me op dat hij zijn schouders heeft opgetrokken, de hele tijd. Het geeft hem een gespannen uiterlijk.

'Wat ben je aan het doen?' zeg ik nogmaals.

'Deze bandensporen aan het bekijken.' Hij wijst naar de berm en ik zie bruine vegen op het gras. 'Het lijkt alsof er hier een auto van de weg is geraakt. Ik vroeg me af wat er gebeurd was.'

Ik snauw: 'Als je zo'n lijkenpikker bent die de plaats van de moord wil zien, dan zit je verkeerd.' Ik ga op de pedalen staan en rijd snel weg. Hij schreeuwt me iets achterna maar ik blijf doorfietsen. Tranen springen weer in mijn ogen.

Waarom is hij niet op school? vraag ik me af. Dan kom ik bij waar het gebeurd is. Ik stap langzaam af en leg mijn fiets op de grond. Het gras komt door de spaken, alsof het de fiets wil verzwelgen. Ik pak de bos bloemen van de bagagedrager en loop naar de sporen. Ik maak uit de sporen op waar de auto moet zijn geweest: bandensporen die de berm in lopen en dan plotseling en definitief stoppen. Ik leg de bloemen neer op de plek waar ik denk dat de bestuurdersstoel is geweest. Ze maken de zwarte grond zelfs nog troostelozer: een verspilde fleurigheid. Ik huil nu niet. Ik voel me verdoofd op deze plek waar mijn vaders leven eindigde, waar mijn kind-van-hem-zijn eindigde.

Het voelt alsof de vuurtorenbundel plotseling is uitgeschakeld en ik in het donker op zee ben en onzichtbare golven over me heen slaan. Mijn hele leven ben ik het middelpunt geweest van alle aandacht van mijn ouders, en nu is mijn vaders licht gedoofd en dat van mijn moeder zo verzwakt dat het lijkt alsof ze er niet meer is. Een schaduw heeft haar vervangen. 'De adem van de nachtwind' – dat lazen we vorige week in een gedicht. Ik kan die adem nu voelen.

Ik word me er plotseling van bewust dat de jongen opnieuw naar me staat te kijken. Een lijkenpikker van de ergste soort, die mijn ellende opzuigt en dorst naar mijn tranen. Ik probeer hem eerst te negeren, in de hoop dat hij zich gaat schamen of vervelen en gewoon vertrekt. Maar dat gebeurt niet. Hij staat daar maar, in een hoek van mijn gezichtsveld, zodat ik de neiging krijg in mijn oog te wrijven om hem te verwijderen. Van daaruit begint zijn aanwezigheid mijn geest helemaal in beslag te nemen waardoor papa eruit verdrongen wordt. De bos bloemen die ik in de tuin heb geplukt, de bloemen die hij zo liefdevol kweekte, zien er deerniswekkend uit in hun papieren wikkel. Het zwarte gras is een beter gedenkteken voor hem. Als de jongen niet naar me had gekeken, had ik ze opgepakt en weer mee naar huis genomen.

'Het spijt me van je vader,' zegt hij opeens. Ik neem de moeite niet te antwoorden. Sinds deze nachtmerrie is begonnen, hebben zoveel mensen dat gezegd dat het een betekenisloze mantra is geworden. Deze keer irriteert het me gewoon. 'Het spijt me,' zegt-ie. Je zegt dat iets je spijt wanneer je je verontschuldigingen aanbiedt, wanneer iets je schuld is. Wat heeft hij met papa's dood te maken?

Hij komt langzaam, aarzelend naar voren. Ik deins terug. Gaat hij zijn arm om mee heen slaan. Een hoop mensen hebben dat gedaan, en het helpt helemaal niet. Alleen aan papa's armen heb ik behoefte. Ik begin behoorlijk kwaad te worden. Ik heb er beslist geen behoefte aan dat een of andere jongen misbruik van de situatie maakt en handtastelijk wordt. Hij stopt ongeveer een meter voor me en valt op zijn knieën, alsof hij wil gaan bidden. Dat helpt niet, kan ik wel vertellen. Ik heb het geprobeerd, en het werkt niet. Maar ik zeg helemaal niets.

Hij buigt voorover en tuurt naar de grond. Hij steekt zijn vingers uit en raakt zachtjes de bandensporen aan, volgt zachtjes hun patroon. Ik wil plotseling mijn hand uitsteken en zijn hoofd aanraken, zijn zachte blonde haren, maar ik doe het niet. Ik blijf roerloos staan.

'Ze zijn niet hetzelfde,' zegt hij op verbaasde toon. Dan draait hij zich om en kijkt me recht aan. In zijn blauwe ogen staat verwarring te lezen. 'Het zijn niet dezelfde sporen,' zei hij opnieuw. 'Deze sporen zijn gemaakt door een andere auto.' Nou en? denk ik. Hij vervolgt, alsof ik heb geantwoord, of alsof hij geen antwoord van me verwacht: 'Ze lijken even oud. Toch is het vreemd: twee verschillende auto's die op zo'n korte afstand van de weg af raken, op ongeveer hetzelfde tijdstip.' Hij gaat op zijn hurken zitten, leunt achterover en blijft me aankijken.

'Het spijt me,' zei hij na een poosje. 'Je vindt me vast ongevoelig. Misschien kan het jou niet schelen, maar het laat mij niet los. Ik móét het weten.'

Hij staat op en loopt weg, terug naar zijn fiets. Ik volg hem met mijn ogen. Hij ziet er gespannen en terneergeslagen uit. Wie is hij? Ik laat de bloemen achter en fiets langzaam naar huis.

Had ik dat maar niet gedaan. 'Oom John' is er. Ik weet waarom hij er is en om die reden haat ik hem nog meer dan om de manier waarop hij zich oom John noemt. Ik spreek hem met geen enkele naam aan, tenminste niet hardop. Bij mezelf noem ik hem Kleine John, ook al is hij geen piraat en heeft hij geen houten been of een papegaai. Maar hij is klein en ik vertrouw hem voor geen centimeter, die glibberige kleine slijmbal. Hij is niet echt een lijkenpikker, meer een gier, die zich aan het kadaver te goed komt doen.

Ze zijn in de keuken, elk aan een kant van de tafel, de koffiemokken voor zich. Mama kijkt op wanneer ik binnenkom en glimlacht vochtig. Kleine John veert omhoog, zo ver omhoog als hij kan komen. Ik verheug me op het moment dat ik hem echt voorbij ben gegroeid. Ik beloof mezelf dat ik hem dan over zijn bol zal aaien. Dan herinner ik me de jongen en hoe mijn hand zich bijna naar zijn hoofd uitstrekte, en voel me beschaamd. Ik voel me trouwens ook beschaamd hier te zijn binnengelopen.

Kleine John schiet op me af en neemt mijn hand in zijn beide handen. Ik weet zeker dat hij me zou kussen als hij durfde, maar ik houd mijn gezicht zo dat hij er niet bij kan. Het is al erg genoeg. Zijn gezicht neemt zijn gebruikelijke kleffe uitdrukking aan. 'Charlotte! Hoe ís het met je?'

Ik trek mijn hand terug en ga naast mama zitten. Hij is hier veel te vaak. Ik dacht eerst dat hij achter mama aanzat, maar ze heeft me verteld dat hij een bod op de zaak heeft gedaan. Dat vertelde ze me aan het ontbijt. Ik geloof dat ik daarom met de bloemen wegging, zo kwaad was ik. We hebben de begrafenis nog niet eens gehad en dan komt hij hier met zijn slobberlippen al de aasgier spelen.

'Het is een redelijk bod,' zei mama, 'en het zou een last van mijn schouders halen.'

'Papa zou willen dat je de zaak voortzet,' zei ik, verbijsterd dat ze zelfs maar over verkopen dacht, verbijsterd dat hij het lef had een bod te doen terwijl papa nog niet eens begraven was. En wat moest mama doen, zo vroeg ik me af, als ze niets meer om handen had? Papa zei altijd dat zij de zaak draaiende hield: de telefoon, de administratie.

'Maar stel dat ik doorga, en het lukt me niet.... Ik weet niet of ik het wel kan opbrengen...'

'Hoe zit het met Amit?' zei ik. Amit rijdt voor papa. Amit is Amy's vader. Amy is mijn beste vriendin. De vader van mijn beste vriendin zonder werk... 'En het is te snel,' zei ik.

'Hij moet snel antwoord hebben, zegt hij. Vanwege zakelijke redenen waarmee hij me nu niet lastig wil vallen.'

Gier, zeg ik in gedachten tegen hem nu hij hier weer aan tafel zit.

> **Gewone gier** verwant aan de Loerende Lijkenpikker. Verschijnt vaak als John Hunston, alias 'oom John', eigenaar van Caring Cars, het grootste taxibedrijf in het district, ook voor huurauto's, en chauffeursdiensten, en lijkwagens...

'Waar ben je geweest, liefje?' vraagt mama, maar ze vraagt het alsof het haar eigenlijk niet interesseert, alsof het warme en vertrouwde mamaschap uit haar lichaam is verdwenen.

'Ik ben naar de plek gegaan waar papa is gestorven,' zeg ik. Ik wil Kleine John eraan herinneren dat wij aan papa denken en niet aan zijn zaak. Mama legt haar hand op de mijne en knijpt erin.

'Was dat wel zo verstandig, Charlotte?' vraagt Kleine John.

Ik weet dat mama denkt dat ik hem onrecht doe. 'Hij is zo vriendelijk en zorgzaam geweest,' zegt ze de hele tijd, 'en zo praktisch. Ik weet werkelijk niet hoe ik het zonder hem had gered.' En dus slik ik de dingen die ik echt wil zeggen maar in, omwille van haar.

'Er was daar een jongen,' zeg ik, omdat ik toch iets moet zeggen en omdat ik weet dat zij er behoefte aan heeft over papa te praten, telkens en telkens weer. 'Hij bestudeerde de bandensporen. Hij zei dat daar iets vreemds mee was.'

'Wat voor jongen?' vraagt Kleine John. Mama geeft mijn

hand opnieuw een kneepje. Ik praat verder. Het is zo gênant om hier aan de keukentafel te zitten met Kleine John die in papa's stoel zit en me bezorgd en gluiperig en huichelend aankijkt, terwijl mama huilerig is en ikzelf wil huilen, maar niet voor zijn ogen. Ik maak er een heel verhaal van, alsof het een of andere griezelige thriller op tv betrof. Mama zit stil en houdt mijn hand vast, maar Kleine John krijgt de smaak te pakken en stelt vragen over de jongen om het gesprek gaande te houden.

Uiteindelijk lijkt het hele geval zelfs hem te vervelen en hij staat op en kust mama en smeekt haar zorgvuldig na te denken over zijn aanbod, het is in haar eigen belang, enzovoort, enzovoort... Ik blijf bij hem uit de buurt en laat mama hem uitgeleide doen. Ik pak zijn mok, spoel die heel, heel grondig uit en staar dan een tijdje uit het keukenraam. Hoe kom ik in hemelsnaam de rest van deze dag door?

# 4
# Simon

Ik keek toe hoe het meisje de weg af fietste en de bocht om ging. Misschien had ik haar moeten zeggen wie ik was, maar ze geloofde vast al in het verhaal dat papa haar vader had vermoord zodat ze me op z'n best had uitgescholden en misschien hysterisch was gaan gillen. Ik keek omlaag, naar de bos bloemen op de geblakerde en omgeploegde grond. Die zouden spoedig ook dood zijn, maar het gras zou herstellen en de beschadigde plekken met een groene genezende laag bedekken.

Ik wist zeker dat het bandenpatroon hier anders was en ik wist zeker dat dat een belangrijk gegeven was, al kon ik niet aangeven waarom. Ik verwenste mezelf nogmaals omdat ik mijn camera niet mee had genomen. Ik overwoog even om hem thuis te gaan halen maar besefte dat ik niet meer naar buiten zou willen zodra ik de veiligheid van thuis had bereikt, vooral omdat school bijna uitging. Ik kon zelfs mijn vrienden niet onder ogen komen, en er waren er een paar op school die papa's arrestatie zouden aangrijpen om me vreselijk te treiteren.

Een notitieblok dan. Dat moest ik toch zeker in de dorpswinkel kunnen kopen. Ik kon de patronen natekenen en misschien morgen terugkomen met mijn camera. Ik ging hoe dan ook niet naar school. Als mama me weer het huis uitzette, had ik in elk geval iets te doen.

Deze keer was er niemand in de winkel. De eigenaresse kwam van achter toen de deurbel klingelde. Ze leek bijna blij me te zien. 'Je hebt hem grondig bezichtigd, moet ik zeggen.'

Het duurde even voordat ik me herinnerde dat ik verondersteld werd een studie van de kerk te maken. 'Ik heb nog een notitieblok nodig,' zei ik. 'En mijn pen doet het niet meer.' Ze wees naar een rek in de hoek, dat een kleine hoeveelheid schrijfbenodigdheden bevatte. Ik koos een goedkoop schrijfblok en een pen. Ik telde mijn geld. Er was nog genoeg voor een blikje en een chocoladereep, maar meer niet. Daarmee zou ik het moeten doen tot ik thuis was. Ik had vanochtend bij het ontbijt niets kunnen eten maar nu had ik plotseling enorme honger. De chocola hielp, maar dat zou niet lang duren. Uit bijgelovigheid stopte ik opnieuw bij de kerk en hield daar mijn karige picknick, leunend tegen een paar rechte stenen platen rondom een graf. Het gras was te nat om te gaan zitten en ik was moe. Het was warm in de zon en ik doezelde even weg, maar werd met een schok wakker toen de nachtmerries begonnen.

Ik remde instinctief toen ik de zwarte BMW aan de kant van de weg zag staan. Het was ongeveer op de plek waar de eerste reeks bandensporen zich bevonden. Ik peinsde er niet over om erheen te fietsen en ze na te tekenen. Wie weet wie er in die auto zat. Het kon de politie zijn. Het kon de echte moordenaar zijn. Het kon de bestuurder zijn met wie ik eerder problemen had gehad.

Rechts was een poort die naar een veld leidde en ik overwoog die door te gaan, maar een paar meter terug was ik langs een van die kleine groene paaltjes gekomen die een wandel- of ruiterpad aangeven. Ik duwde mijn fiets door een gat in de haag en liet hem daar staan met het voorwiel van de weg af. Als het moest kon ik daar nu ontsnappen aan een auto en, als mijn voorsprong voldoende was, misschien ook wel aan mannen die me te voet achtervolgden. Het pad daar leek me droog genoeg voor mijn mountainbike. Misschien had ik op dat moment beter weg kunnen rijden, maar ik moest weten hoe het zat.

De auto startte. Ik liep naar de haag en keek toe. De auto keerde op de weg, draaide toen in mijn richting de berm op en reed vervolgens diverse keren heen en weer over het gras, met zacht draaiende wielen. Hij draaide weer de weg op en de bestuurder stapte uit. Het was dezelfde kleine, boze man in pak die me eerder had uitgekafferd. Hij liep langs de berm, bukte en bestudeerde de grond. Hij draaide zich om, maakte de kofferbak van zijn auto open, nam er iets uit en begon daarmee over de grond te schrapen.

Ik kroop naar voren om te zien wat hij deed, hoewel ik het eigenlijk al wist. Hij kon maar één ding aan het doen zijn: de sporen uitwissen. En als dat zo was, dan had ik gelijk en waren ze belangrijk bewijsmateriaal. Als ik eerder mijn camera had gehad, of op tijd was geweest om ze na te tekenen, dan was het zo erg niet geweest... Maar als ik er eerder was geweest, dan had hij misschien gezien wat ik aan het doen was en... En dan wat? Was hij recht op me afgereden? Ik kromp ineen bij die gedachte en die beweging moet zijn aandacht hebben getrokken, want hij stond op en keek me recht aan. Ik verstijfde een ogenblik, en toen stapte hij op me af en riep: 'Jij daar! Kom hier!'

Daarop draaide ik me om en rende naar de opening in de haag, greep mijn fiets en hobbelde onvast over het pad. Toen ik vaart kreeg, wankelde ik wat minder op mijn fiets en waagde ik een snelle blik over mijn schouder. De man stond in de opening met een ijzeren voorwerp in zijn opgeheven hand, ik vermoedde een ringsleutel. Toen ik mijn hoofd omdraaide riep hij opnieuw, maar ik wist dat hij me niet meer te pakken kon krijgen.

Het pad klom gestaag en werd bij elke kronkeling modderiger en dichter begroeid. Op een steil stukje stapte ik af en hijgend keek ik achterom. Ik was al zo hoog geklommen dat ik de weg beneden kon zien. De auto van de man stond recht onder mij. Hij leunde ertegen en leek iets op het dak te hebben uitgespreid, dat hij aandachtig bestudeerde. Een kaart, besefte ik. De kaart die ik vanochtend nog in de bibliotheek had gebruikt, al leek dat nu een eeuwigheid geleden. De kaart die de wandel- en ruiterpaden aangaf. Hij keek waar ik zou uitkomen en zou me daar dan staan opwachten. Waarom? Hij wist niet wát ik wist, maar hij moest behoorlijk nerveus zijn aangezien hij zich zo druk om mij maakte. Of deed ik nu gewoon paranoïde en was hij helemaal niet in me geïnteresseerd.

Ik ging zitten zodat hij niet zag dat ik hem observeerde. Wat moest ik doen? Het probleem was dat ik niet wist of hij uitviel tegen elk kind dat hij zag, of dat hij echt achter me aanzat. *De gok van Pascal*, zei papa altijd. Als je twijfelt, kijk dan welke beslissing op de grootste ramp uitloopt als het de verkeerde blijkt te zijn. Ik kon er beter van uitgaan dat hij achter me aanzat en dan in elk geval veilig zijn, ook al waren die moeite en inspanning misschien niet nodig. Wachten tot hij wegreed dus en dan dezelfde weg teruggaan? Misschien verwachtte hij dat ik dat zou doen en stelde hij zich ergens verdekt op. Eenmaal terug op de weg zou ik heel kwetsbaar zijn. Verder gaan in de hoop op kruisingen en alternatieve routes? Ik bezat geen kaart en had geen idee waar het pad naartoe ging, maar ik was nu in het voordeel doordat ik betrekkelijk hoog zat. Als ik ongezien thuis wist te komen zou ik veilig zijn, want hij kon onmogelijk weten wie ik was.

Ik bleef kijken tot zijn auto uit zicht was en fietste toen langzaam verder. Het ruiterpad was hier bijna vlak en werd ingeklemd door hoge hagen die elk geluid leken te weren. De geur van de meidoornbloesem was overweldigend. Het zou een prachtige plek voor een plezierritje zijn geweest. Toen bereikte ik de top. Het terrein ging aan alle kanten omlaag en tot mijn grote vreugde was ik op een kruising beland. Ik moest kiezen, zonder steun van een kaart.

Ik sloeg linksaf. Dat was het meest in de richting die naar huis leidde, en het leek alsof ik zo bij een groep boerderijgebouwen onder aan de heuvel zou komen. Van daaruit liep er vast een beter pad naar een weg. Ik moest nu snel naar huis voor het geval mama er al was en zich begon af te vragen waar ik uithing. Als ze aannam dat ik als een brave jongen naar school was gegaan, dan had ik nog verscheidene dagen waarop ik... ja, wat kon ik hierna nog doen? Niet veel, leek het, maar ik ging onder geen beding naar school.

Ik stuiterde omlaag en stuurde geconcentreerd. Dit was een wandelpad dat grotendeels was overwoekerd. Een paar keer moest ik afstappen en duwen. Links van me was een haag en aan mijn rechterkant lag een veld met wat waarschijnlijk tarwe was. Er groeiden hoge grashalmen en distels op het pad en algauw waren de pijpen van mijn spijkerbroek drijfnat en kleefden ze aan mijn benen. Tussen twee velden was een tourniquet waar ik mijn fiets overheen moest tillen. Ik begon moe te worden en was het zat. Ik wilde naar huis, me afdrogen en wat te eten hebben.

Eindelijk bereikte ik de boerderijgebouwen die ik vanaf de top had zien liggen. Ze zagen er van dichtbij nogal vervallen en verlaten uit. Als ergens in mijn achterhoofd nog het idee rondwaarde dat ik kon aankloppen bij een boerderij om me vervolgens door een blozende boerin te laten trakteren op een dikke plak cake en een beker melk vers van de koe, dan keerde dat nu weer terug naar de Enid-Blytonboekjes die ik als klein kind had gelezen. Er waren hier zowat alleen brandnetels, plus de roesthopen van afgedankte machines die je altijd rond boerderijen ziet liggen en een paar balen stro in een van de schuren.

Hoewel...

In een van de schuren stond een auto die precies leek op papa's taxi. Hij stond helemaal achterin en als ik met mijn gedachten niet zo bij papa en de politie was geweest, en misschien ook bij de boekjes van Enid Blyton waarin de essentiële aanwijzingen op boerenerven altijd voor het oprapen lagen, dan had ik hem waarschijnlijk nooit gevonden. Nu echter weerkaatste de achterruit het zonlicht en de schittering viel in mijn ogen toen ik voorbijkwam. Ik zette mijn fiets tegen de muur en liep naar binnen om van dichtbij te kijken. Ik denk dat ik het wegfietsen, met de kans een man in een zwarte BMW tegen te komen, wilde uitstellen.

Hetzelfde model. Dezelfde kleur. Dezelfde nummerborden. Dezelfde nummerborden! Ik dacht even dat het papa's auto was, maar die had de politie vanochtend weggesleept. Dit was nou niet bepaald een politiedepot. Maar wat dan wel? Kreeg ik hallucinaties van de honger? Ik liep terug en verborg voor de zekerheid mijn fiets in een van de andere gebouwen.

Zodra ik één blik in de auto had geworpen, wist ik wat ik eigenlijk de hele tijd al had geweten. Het was papa's auto niet. Om te beginnen hadden de stoelen niet dezelfde kleur. Ik zag het apparaat niet dat de ritprijs aangaf. De blikjes zuurtjes die papa altijd onder het dashboard had liggen, ontbraken.

Er zat een enorme deuk in het achterportier aan de bestuurderskant. De deuk zag er vers uit, door de stukjes lak die er nog aankleefden. Iets had deze auto hard geraakt. Toen viel me het voorportier op. Ik moest het al eerder hebben gezien zonder het te beseffen: het logo van twee dooreengevlochten T's, van Tony's Taxi's. Ik ging op mijn hurken zitten en bestudeerde het. Het had ongeveer dezelfde grootte en vorm; ongeveer maar net niet helemaal, dacht ik, het was iets grover geverfd. Bij slecht licht kon je erin trappen, maar niet als je nauwkeurig keek.

Behoedzaam liep ik weg. Eerst moest ik veilig thuis zien te komen. Dan moest ik terug naar hier, met mijn camera, voordat dit bewijsmateriaal ook verdween.

# 5
# Charley

Mama zegt Kleine John gedag en plotseling verandert haar stem. 'Henry!' roept ze en ik weet dat ze echt blij is hem te zien. Papa's broer. Bij hem geen flauwekul met 'oom-zeggen'; hij is altijd gewoon Henry geweest. Het probleem is dat hij zo veel op papa lijkt dat het bijna onverdraaglijk is. Hij maakt soms wat ritjes voor papa, springt 's avonds en in het weekend bij, en ik kan het niet laten om te wensen dat hij op woensdag gereden had en dan schaam ik me daarvoor omdat hij altijd zo aardig is. Maar hij is niet papa.

Ik loop de trap op naar mijn kamer. Ik wil niet in de keuken blijven. Mama is op haar ergst als Henry hier is en ik kan er niet tegen. Ik ga op de treden zitten en leun met mijn hoofd tegen de muur. Aan de ene kant wil ik erbij zijn en horen wat ze zeggen, aan de andere kant niet.

Ze gaan naar de keuken. Er is het geluid van water dat in de ketel stroomt. Het is alsof je naar een hoorspel op de radio luistert. Hun stemmen klinken door de openstaande deur. Mama vertelt voor de zoveelste keer wat er woensdagavond is gebeurd. Papa was geboekt om half elf. Om een man die buiten The Squire Bassett-pub stond te wachten naar een huis in Thorney te brengen, een flinke rit. Alles normaal. Geen reden tot ongerustheid. Bill is – was – altijd voorzichtig, wist altijd wat hij deed. Inmiddels kan ik het hele verhaal dromen. Mama voelt de drang alles eindeloos te herhalen. Henry is heel geduldig en geeft op de juiste momenten de juiste reactie. Ik besef plotseling dat hij er ook kapot van moet zijn, maar hij troost ons elke keer als hij komt. Ik neem aan dat hij thuis door Ginny wordt getroost.

Mama begint plotseling over iets anders en ik spits mijn

oren, zak een paar treden om het beter te kunnen verstaan. De politie is geweest toen ik eropuit was. Ik veronderstel dat ze me het niet verteld heeft omdat Kleine John er was en ze hem het al verteld had, of misschien wilde ze het hem niet vertellen, of misschien mij niet.

Papa is omgekomen omdat hij zijn gordel niet had vastgemaakt.

Papa zwoer bij autogordels. Hij had de zijne altijd om. Hij stond erop dat zijn passagiers de hunne omdeden. Hij reed geen millimeter voordat iedereen zijn gordel had vastgeklikt.

Er klopte iets niet.

Ik mis wat mama dan zegt maar val dan bijna van de trap door de volgende mededeling.

Zijn auto was opzettelijk in brand gestoken. Het was geen ongeluk, hij vloog niet uit zichzelf in brand. Iemand goot benzine over de stoelen en wierp er toen een lucifer bij. Terwijl papa erin zat.

'Hij was toen goddank al dood,' zegt mama. Goddank? Waar was God toen dit allemaal gebeurde? Ik ben bereid om God te danken zodra papa hier in de keuken zit. Misschien had ik God moeten danken voor alle keren dat hij hier zat, in plaats van dat als vanzelfsprekend te beschouwen. Misschien vond God me te ondankbaar nadat Hij me een van de beste vaders had gegeven die hij beschikbaar had.

En de politie heeft iemand gearresteerd. Tony Lomond, de eigenaar van Tony's Taxi's aan de andere kant van de stad. 'Ze hebben twee getuigen die gezien hebben dat hij zich in Grafton vreemd gedroeg omstreeks hetzelfde tijdstip dat Bill daar doorheen reed. En een van hen heeft hem heel hard naar Thorney zien rijden. Verkeersagressie, denken ze. Dat zou verklaren waarom de autobrand is aangestoken. Hij moet zo alle sporen hebben willen uitwissen.'

Verkeersagressie! Nog zo'n obsessie van papa. Hij zei altijd dat je een ander niet agressief hóéfde te maken en riep nooit terug, toeterde niet en maakte beslist geen grove gebaren. Hij bood altijd zijn excuses aan, vooral als het niet zijn fout was. 'Ik ben een beroepschauffeur,' zei hij altijd. 'Het is daar een jungle,' zei hij altijd, 'en je moet de wilde dieren niet provoceren. Gewoon kalm blijven en je niet tot schelden verlagen. Wees professioneel.'

Verkeersagressie werd hem fataal terwijl hij zijn gordel niet droeg. Er klopte iets helemaal niet.

'Ik heb het niet aan Charley verteld,' zegt mama. Dat heb je wel, denk ik, en zelfs op de beste manier, zo dat ik niet voor jouw ogen hoef te reageren, geen rekening met jou hoef te houden voordat ik mijn gevoelens toon. 'Ik heb het ook niet tegen John gezegd. Dat kon ik om de een of andere reden niet.'

'Begon hij weer over het verkopen van de zaak?' vraagt Henry. 'Hij is een beetje drammerig.'

'Ik geloof dat hij het goed bedoelt,' zegt mama. Goedgelovige mama, die nooit kwaad van iemand denkt. 'Maar het is te snel. Iedereen zegt dat ik met dat soort beslissingen minstens zes maanden moet wachten.'

'Minstens,' beaamt Henry.

'Maar als het mis gaat, is de zaak over zes maanden niets meer waard en ik weet niet of ik het kan opbrengen hem draaiende te houden. Als ik het probeer en er een puinhoop van maak, dan hebben we straks niets meer en heeft Bill zijn hele leven voor niets zo hard gewerkt. Dat zou ik niet kunnen verdragen. Het gekke is dat Charley per se wil dat ik doorga. Toen Bill nog leefde, toonde ze geen enkele interesse. Hij wilde haar leren rijden op de oude landingsbaan maar daar wilde ze niets van weten. Nu raakt ze helemaal van streek wanneer ik over verkopen begin.'

'Ik denk dat ze zich een beetje schuldig voelt, een beetje spijt heeft dat ze niet meer met haar vader heeft gedaan. Dat is een normaal gevoel. Maar vooralsnog heeft ze gelijk. Met z'n allen kunnen we de zaak best een tijdje draaiende houden. Op Amit kunnen we bouwen. Gun jezelf de tijd om achter de beste oplossing te komen.'

Mama begint opnieuw te huilen. Ik sluip naar mijn kamer, ga op bed liggen en staar naar het plafond. Hoe moet ik de tijd doorkomen? Mama vindt dat ik naar school moet gaan; dat het me goed zal doen als ik er eenmaal ben. Waarschijnlijk heeft ze gelijk. Het zou beslist helpen om op school gewoon dingen te moeten doen, maar ik kan niet gaan. En ik kan haar de ware reden niet vertellen. Kylie en haar groepje.

Ik had besloten om naar school te gaan. Ik was er bijna. Ik had Amy gebeld en gevraagd me op te halen zodat ik samen met iemand naar binnen kon gaan. Ze was me het weekend al komen opzoeken zodat we het verlegen gedoe gehad hadden en ze had beloofd langs te komen wanneer ik dat wilde – gewoon vóór kwart over acht 's ochtends even bellen. Dat deed ik dus vanochtend. We waren gekomen tot de hoek van Hayling Road toen Kylie en haar maatjes ons inhaalden.

'Ken je die van de Schotse taxichauffeur?' zei Kylie, zo hard dat de hele straat kon meeluisteren. 'Hij cremeerde zichzelf zodat hij zich het geld voor de begrafenis bespaarde.' Haar maatjes lachen zoals ze altijd doen wanneer Kylie het op iemand heeft voorzien. Ik draaide me plotseling om en gaf haar een duw zodat ze op het trottoir viel, waarna ik vastbesloten in de richting van huis begon te lopen. Amy rende achter me aan: 'Charley! Wacht!'

'Ik ga niet,' zei ik.

'Laat je door haar niet klein krijgen. Ze is het niet waard.' Amy was geweldig. Je zou denken dat ze blij was dat Kylie eens een keer geen grappen over Pakistanen maakte.

Ik schudde van nee. 'Een andere keer. Ik bel nog wel.'

'Ik ga het tegen mevrouw Kirk zeggen,' zei ze. 'Deze keer is ze te ver gegaan.' Ze gaat altijd te ver, dacht ik en besefte dat Amy als papa had gehandeld: een beroeps in de jungle van de schoolspeelplaats.

'Ga maar,' zei ik. 'Anders kom je te laat.' Ze vertrok naar school en ik vertrok met bloemen naar de plek waar papa was doodgegaan en nu weet ik meer dan mij lief is over hoe hij is doodgegaan en het lijkt alsof niets meer is wat het was.

Ik lig op mijn bed naar het plafond te staren en in mijn hoofd begint alles te tollen. Ik voel de lijkenpikkers rondcirkelen, rondcirkelen, en de gieren, en de bullebakken. Die jongen, en Kleine John, en Kylie: allemaal cirkelen ze rond, op zoek naar zwakke plekken, loerend naar hun kans om met hun wrede mond mijn tranen op te zuigen.

Ik zal hen klein krijgen, al weet ik nog niet hoe.

Ik geloof niet dat papa zonder gordel om heeft gereden. Ik geloof niet dat hij iemand in het verkeer boos heeft gemaakt.

Waarom wás die jongen daar? Hij leek geen lijkenpikker. Hij leek beschaamd, verdrietig. Wat bedoelde hij met die sporen? Ik ga daar morgen op onderzoek uit.

# 6

# Simon

’s Woensdags werd ik bang. Doodsbang. Nadat papa dinsdag was gearresteerd, had ik me vreselijk ongerust gemaakt, maar ’s woensdags kwam ik erachter dat angst een totaal ander gevoel is, en dat het ene gevoel het andere niet opheft. Het kan boven het andere liggen, het een poosje aan het zicht onttrekken, maar het laat het niet verdwijnen.

Ik merkte de auto op toen ik uit het raam keek naar de regen die weer was begonnen. Dat is elke ochtend het eerste wat ik doe. Ik doe de gordijnen open, sluit het raam en staar naar buiten. Ik weet niet goed waarom en het lijkt mama te storen wanneer ze me erop betrapt. Ik geloof dat het me erom gaat het dagelijks leven te zien: dezelfde mensen op hetzelfde moment van elke dag. Nu een bomexplosie mijn hele leven zozeer had uiteengerukt dat ik niet eens zeker wist waar de stukken waren gebleven, laat staan dat ik ze bijeen kon gaan zoeken – nu ging er voor mij een enorme aantrekkingskracht uit van de aanblik van mensen die gewoon hun leven voortzetten alsof er niets veranderd was.

De BMW was anders. Hij stond aan de andere kant van de weg geparkeerd, ongeveer vier huizen verder. Hij moest zich hier een beetje behelpen – dit is op z’n best Escort-gebied – zodat hij opviel. Wanneer mensen rijke familieleden op bezoek hadden, dan lieten die hun auto’s niet aan de weg staan. Meneer Earnley hiertegenover parkeerde zijn oude Panda altijd op straat wanneer zijn broer met zijn Jaguar op bezoek kwam.

Doordat hij verder in de straat stond, kon ik de man achter het stuur zien zitten. Hij las een krant. Ik deed een stap terug, achter het gordijn. Dit was de derde keer dat ik die auto én die man gezien had. Hij had me bedreigd, hij had bewijsmateriaal vernietigd en nu wachtte hij me op voor mijn huis. Dit kon geen toeval zijn. Ik weet niet hoe ik wist dat hij míj opwachtte. De gedachte dat dit papa's huis was en het allemaal niets met mij te maken had, lag meer voor de hand, maar de angst nam nu bezit van me en liet me niet meer los.

Ik zei tegen mezelf dat ik me aanstelde. Hij kon onmogelijk hebben geweten wie ik was toen hij gisteren ontdekte dat ik hem gadesloeg, onmogelijk. Er was niemand geweest aan wie hij dat kon vragen. De enige mensen die zelfs maar een idee hadden wáár ik was geweest, waren de vrouwen in de winkel en dat meisje, de dochter van meneer Westcot. Niemand van hen kende me. Alleen het meisje en de man wisten dat er volgens mij iets vreemds met die bandensporen was. Ik wist zelf niet eens wat ik eigenlijk wist. Er klopte iets niet. Iemand moest denken dat ik meer wist dan het geval was. Niemand wist dat ik de auto had gezien, of wel?

Mijn gedachten draaiden in een kringetje rond in mijn hoofd en werden steeds verwarder. Ik stond uit het raam naar de man in de BMW te staren. De man in de BMW zat zijn krant te lezen. Het normale, alledaagse leven voltrok zich zoals het dat elke dag deed. Mama riep me voor het ontbijt zoals ze elke dag deed. Vandaag was ze kordaat en efficiënt, al speelde ze zichzelf niet echt overtuigend. Ze zei dat ze me onderweg naar het advocatenkantoor bij school zou afzetten omdat ze me niet in deze regen wilde laten fietsen – het soort opmerking dat een bezorgde moeder hoort te maken. Ze bemoederde me in het verleden ook, en gewoonlijk ergerde ik me eraan, maar vroeger legde ze haar ziel erin. Ik vertelde haar dat ik met Dan buiten de bibliotheek had afgesproken, waarop ze zei dat ze me dan daar zou afzetten, allemaal zonder de gebruikelijke ondervragingen. Toen we de straat uit reden, zag ik in de achteruitkijkspiegel hoe de BMW vaardig keerde op de weg en ons volgde. Ik wou dat ik dat zo keurig kon.

Papa nam me sinds kort op zondagochtend mee naar de onofficiële rijschool op het oude vliegveld. Hoe jonger je begon, des te gemakkelijker je leerde rijden, zei hij. Dat waren fantastische ochtenden, wat ze tegenwoordig *quality time* noemen. Ik kreeg zijn volledige aandacht en behoorlijk snel ook zijn volledige goedkeuring. Hij zei dat ik een natuurtalent was. Het was een geweldig gevoel, de controle over al die pk's op de lege landingsbaan. Het was de enige tijd waarop je er zeker van kon zijn dat er geen jongeren in gestolen auto's rondjakkerden. Die sliepen op zondagochtend altijd uit, soms, heel soms zelfs op het politiebureau. Op het politiebureau....

Gelukkig was het een ochtend waarop de bibliotheek vroeg openging. Als het een van de sluitingsdagen was geweest, had ik gehangen. Ik draaide me angstvallig om, wuifde naar mama en zag vanuit mijn ooghoek de BMW langs de stoeprand parkeren. De bibliothecaresse begroette me als een oude bekende, en ik pakte een geschiedenisboek over onze stad en de topografische kaart van de plank en ging bij het raam zitten. Ik voelde me voor dit moment veilig, maar ik kon hier niet de hele dag blijven. Ik was nu beter toegerust dan dinsdag. Mijn schooltas lag aan mijn voeten en bevatte:

- één lunchpakket (naar officieel Moederlijk Recept)
- extra voorraad (stiekem bemachtigd toen ze boven was)
- camera
- pen en schrijfblok
- bibliotheekkaart.

Het enige wat ontbrak, was mijn fiets. Ik moest die thuis gaan halen, en dat was het probleem. Ik kon de BMW nog steeds langs de stoeprand zien staan, met de bestuurder achter zijn krant. Ik stelde me voor hoe ik de bibliotheek verliet, naar huis liep, vervolgens wegfietste en daarbij de hele tijd op discrete afstand gevolgd werd tot het juiste moment aanbrak, daar op die stille plattelandsweg.

Gisterochtend werd het verminkte lichaam van Simon Lomond aangetroffen op de weg naar Thorney. Hij is het slachtoffer van een aanrijding waarbij de dader is doorgereden. De politie staat voor een raadsel. Hij werd gevonden in de buurt van de plaats waar vorige week de uitgebrande auto en het lijk van Bill Westcot werden ontdekt. Simons vader is van die moord beschuldigd, maar de politie sluit enig verband tussen de twee misdaden uit. 'Het was een tragisch ongeval en de bestuurder moet in paniek zijn geraakt toen hij zag wat hij had gedaan.' De politie roept iedereen die iets gezien heeft op zich te melden. De politie heeft geen details vrijgegeven, maar naar verluidt is de jongen een bijzonder onaangename dood gestorven en zijn delen van zijn lichaam dwars door de fiets heen geperst...

Onder geen voorwaarde zou ik op mijn fiets stappen terwijl die man toekeek.

Het zag ernaaruit dat ik in de val zat, dat het een kwestie was van wie zijn zenuwen, of wellicht zijn blaas, het best in bedwang had. Ik moest me erop voorbereiden dat hij de langste adem had en ik als eerste vertrok. Dan was het zaak het zo te spelen dat hij me in zijn auto volgde en ik hem ergens heen lokte waar hij met de auto niet verder kon, zodat ik kon verdwijnen terwijl hij zijn auto parkeerde.

In het geschiedenisboek werd een stadswandeling aanbevolen die bij de bibliotheek begon. Ik bestudeerde die grondig en knobbelde een perfecte route uit die me in een grote lus naar huis zou brengen. Ik zou eerst doen alsof ik naar school ging, zodat hij niet zou raden wat ik werkelijk van plan was en dan opeens de zijdeur bij Fenniman's nemen en via de grote parkeergarage een stuk afsnijden. Ik kon nu maar beter gaan. Ik had een visioen gekregen waarbij hij de bibliotheek binnenkwam, voorwendde dat hij een leraar van school was en me als een spijbelaar meesleurde.

Ik liep met de plattegrond en mijn bibliotheekkaart naar de balie en liet hem afstempelen. Dat was het moment waarop ik mijn geniale inval kreeg. Wanneer ik thuis mijn fiets ophaalde, zou ik de krant van vandaag meenemen. Als ik thuiskwam. De bibliothecaresse glimlachte. Ik haalde een keer diep adem en liep de straat op, waarbij ik zorgvuldig vermeed naar de BMW te kijken, al lukte het me vanuit mijn ooghoeken een witte flits van een snel weggelegde krant op te vangen. Ik sloeg de richting van school in en liep zo monter als ik kon verder, wat niet erg monter was. Ik moet er hebben uitgezien als een heel onwillige scholier. Het lawaai van het verkeer overstemde alle afzonderlijke geluiden en ik durfde niet achterom te kijken. Ik zou veiliger zijn als hij niet wist dat ik wist dat hij me volgde; dat zou me een voordeel verschaffen.

Het was ongelooflijk moeilijk om gewoon verder te lopen, zonder te weten wat er achter me gebeurde. Ik was echt bang, werd nóg banger met elke volgende stap die ik zette en voelde een wanhopige drang om me om te draaien en te kijken, tegen beter weten in. Ik probeerde de winkelruiten als spiegel te gebruiken, zoals ze in films doen, maar dat werkte niet omdat ze allemaal de verkeerde kant op stonden. De wandeling leek eeuwig te duren. Ik liep zo ver van de stoeprand af als mogelijk was, maar het leek wel of alle andere voetgangers hetzelfde idee hadden: treuzelende oude mensen, verlate moeders die hun kinderen naar school brachten, mensen met aktetassen die zich naar hun dagelijks werk repten. Het regende nog steeds, hoewel zachter dan eerst, waardoor iedereen zijn hoofd omlaag gewend hield of achter een papaplu verstopte en niemand dus keek waar hij liep. Als in een nachtmerrie voelde ik hoe ik langzaam maar onverbiddelijk naar de rand werd geduwd, en eroverheen en onder de wielen...

Ik dook het portiek van Fenniman's binnen en duwde. Er bewoog niets. 'Het heeft geen zin om tegen die deur te duwen, lieve jongen,' zei een oude, vriendelijke mevrouw achter me. Ze stak haar hand uit en tikte op het glas voor mijn gezicht:

```
Medewerkerstraining
Op woensdag gaat de winkel om 9:30
open.
Wij verontschuldigen ons voor dit on-
gemak voor onze klanten.
```

'Het is me een raadsel dat ze al die moeite nemen,' ging ze verder. 'Ik heb hier nog nooit gemerkt dat ze ergens in getraind zijn, behalve dan op de toonbank leunen en met elkaar giechelen.'

Ik keek op mijn horloge. Ze konden elk ogenblik opengaan. Wat nu? Via de zijkant de parkeergarage binnengaan? Als ik dat deed, was het voor hem zonneklaar wat ik van plan was. Hier wachten? Wachten tot hij aan de stoeprand zou stoppen, over het trottoir zou benen en me in zijn auto zou sleuren voordat iemand besefte wat er gebeurde? En als ze het wel doorhadden, zouden ze toch te bang zijn om iets te doen. De oude mevrouw zou hem een lel met haar handtasje kunnen verkopen; ze leek vinnig genoeg.

Ik ging met mijn rug naar de deur staan en keek over de weg. Precies op dat moment stopte de BMW aan de kant. Bijna rende ik weg, maar ik wist me te vermannen. Ik glimlachte naar haar. 'In elk geval staan we hier beschut,' zei ik.

'Hoor jij niet op school te zijn?' zei ze snuivend.

'Ze hebben lerarentraining.'

Daar moest ze zowaar om lachen. 'Dat doet allemaal maar,' zei ze. 'Dat traint maar zodat wij hier in de regen moeten staan. Misschien heb je morgen geniale leraren.' Ik produceerde een lach en probeerde de indruk te wekken dat ik gezellig met mijn oma stond te kletsen. 'Toen ik jong was,' begon ze en ik trok een geïnteresseerd gezicht.

In mijn ooghoek zag ik het portier van de BMW opengaan en voelde een ware paniek opkomen. Ik legde mijn hand op de arm van de vrouw, alsof zij me zou beschermen zoals mijn eigen oma dat altijd had gedaan. Ze keek me plotseling aan alsof ik behoorde tot een van die straatbendes waar haar krant altijd over tekeergaat en ze zette zich schrap. Ik wist dat haar handtasje elk ogenblik de zijkant van mijn hoofd kon treffen. Wegrennen zou me regelrecht in handen van de BMW-man brengen, en zij zou me nu niet helpen. Blijven staan zou me een hersenschudding opleveren, waarna hij me zo in de wachtende auto kon slepen. Ik zat klem, het was gebeurd. Ik deed een stap achteruit, weg van hen beiden.

'Excuses voor het wachten,' klonk een opgewekte stem terwijl de deuren eindelijk opengingen. 'Welkom bij Fenniman's.

# 7
# Charley

Het is niet te geloven! Die jongen. Hier. Opnieuw.

Ik duw mijn fiets door het poortje net vóór de bocht en ga op mijn hurken zitten. Het is goddank opgehouden met regenen, maar het gras is kletsnat en mijn broekspijpen worden aan de onderkant al donker. Nog even en het vocht dringt door mijn gympen, zodat ik natte voeten krijg. Daar heb ik het land aan, maar ik moet weten wat hij doet.

Ik vraag me onderhand af of hij een gek is. Je denkt daarbij altijd aan oude mannen met verwilderde baarden die schreeuwend over straat lopen, maar misschien heb je ze tegenwoordig ook jonger. Dat komt dan zeker door het 'Uiteenvallen van de Maatschappij' waar ze het bij dat vrijwilligerswerk van mama altijd over hebben, en dat ze meestal vervolgen met een tirade over 'die akelige premier'. Hij schreeuwt niet en hij heeft geen baard – daar is hij trouwens te jong voor – en hij ziet er niet uit als een gek, helemaal niet zelfs om eerlijk te zijn. Toch gedraagt hij zich heel vreemd.

Hij is bezeten van die sporen in de berm die hij gisteren al bestudeerde. Vandaag heeft hij een rugzak bij zich. Daar haalt hij – ik geloof mijn ogen niet! – een krant uit. Hij legt die op de grond bij de sporen. Hij haalt er een camera uit. Hij neemt foto's. Plotseling begrijp ik waar die krant voor dient. Op het nieuws heb ik gijzelaars een krant omhoog zien houden. Dat dient als bewijs voor de datum.

Hij denkt zeker dat hij een jonge detective is.

Hij stopt de krant en de camera terug in zijn rugzak, stapt op zijn fiets en rijdt verder naar... naar... naar waar het gebeurd is. Ik wil niet dat hij me ziet. Ik wil kijken wat hij verder doet. Ik wacht tot hij uit het zicht is en rijd dan langzaam achter hem aan, waarbij ik vóór elke bocht stop en om de hoek kijk. Ik ontdek een ander poortje dat precies veilig ligt en duw mijn fiets achter de haag. Ik realiseer me dat ik aan de kant van het veld langs de haag kan lopen. Tussen de haag en het gewas op de akker, wat dat ook moge zijn, bevindt zich een smalle strook lang nat gras. Dat betekent natte voeten en een doorweekte broek, maar het betekent ook dat ik hem ongezien kan volgen.

Het is niet zo gemakkelijk als je zou denken om geruisloos door nat gras te lopen zodat ik maar langzaam vooruitkom. Ik zit ook over die haag in. Eerst ben ik bang dat hij me erdoorheen kan zien en dan ben ik bang dat ík er dadelijk niet doorheen kan zien. Bovendien vraag ik me de hele tijd af waar ik eigenlijk mee bezig ben. Is dit alles niet een beetje gestoord?

Uiteindelijk beland ik ongeveer tegenover de plaats waar het gebeurd is. Ik ga op mijn hurken zitten waardoor het natte gras nu tegen mijn achterste strijkt en ontdek een dunne plek in de haag. Tussen de bruine meidoorntakken door kan ik net boven de berm uit kijken. De jongen heeft zijn rug naar me toegewend en buigt min of meer voorover. Opeens begrijp ik wat hij aan het doen is. Hij maakt weer foto's van de grond. Ik wed dat zijn krant daar ook ligt. Hij bukt dieper. Hij is bezeten van die bandensporen en ik zou dolgraag willen weten waarom.

Er klinkt het geluid van een auto. Hij kijkt verschrikt op en ik zie een doodsbenauwde uitdrukking op zijn gezicht. Dan ebt de spanning uit hem weg en hij pakt zijn rugzak op en doet die om. Hij heeft zijn camera nog steeds in zijn hand en als de auto voorbij zoeft, vertoont zijn gezicht een flauw glimlachje. Ik krijg kramp in mijn dijen, daarom richt ik me voorzichtig op en beweeg een beetje.

Er klinkt het geluid van een andere auto. Ik hoor een soort kreet door de heg komen, waarop ik snel wegduik en kijk. De jongen is verdwenen. Ik vloek, ga staan en duw mijn handen door de haag om een beter zicht te krijgen. Doorns trekken een streep van helderrood bloed over mijn handen. De jongen spurt naar een gat in de haag aan de overkant. Zijn fiets ligt in de berm. Een grote auto trekt knarsend op en rijdt finaal over de fiets. Precies erbovenop stopt hij. De bestuurder springt te voorschijn en schreeuwt: 'Jij daar, kom hier!' De jongen heeft zich door de haagopening gewurmd en rent over het veld alsof de duivel hem op de hielen zit.

Kleine John staat in de opening en slingert hem verwensingen achterna. Hij kan de jongen met geen mogelijkheid inhalen, zoals hij duidelijk beseft. De jongen bereikt het eind van het veld, klautert over een poort en raakt uit zicht. Hij is veilig en ik begin me nu zorgen over mezelf te maken. Ik verroer geen vin.

Kleine John loopt terug naar zijn auto. Hij bukt zich en ik zie dat hij mijn bos bloemen van gisteren in zijn hand heeft. Opeens smijt hij ze over de haag. Ze maken zich in de lucht van elkaar los en verspreiden zich in hun val. Een fresia belandt boven op de haag, als een exotische bloem. Hij stapt weer in zijn auto en blijft een ogenblik stil zitten. Dan start hij de motor en rijdt zijn auto achteruit en dan vooruit en nogmaals achteruit en vooruit over de fiets van de jongen. Dan piepen zijn banden over het asfalt en weg is hij, en ik hoor het gefluit van de vogels.

Ik merk dat ik mijn adem heb ingehouden en laat die nu ontsnappen. Ik tril en ik ben heel, heel kwaad. Wat die jongen daar ook deed, het was nergens voor nodig om in een aanval van razernij zijn fiets in de vernieling te rijden. En dan papa's bloemen, weggeworpen als afval. Ik lik het bloed van mijn handen en merk dat ik huil, ook al wil ik dat niet.

Ik loop terug door het natte gras en ga dan de weg op. De fiets van de jongen is een wrak. Ik til hem op, draag hem naar de opening waardoor hij is verdwenen en zet hem zo netjes als ik kan tegen de haag. De wielen zijn verbogen, een trapper is afgebroken en de versnellingen zijn gewoon hopeloos. Hij zal er niet meer op fietsen. Even heb ik medelijden met hem, maar dan herinner ik me dat hij op z'n best een lijkenpikker is en denk dat het misschien zijn verdiende loon is.

Hij is nergens te bekennen. Het lijkt erop dat hij naar het ruiterpad is geklommen dat ik daar omhoog zie lopen. Ik kan hem net zo goed volgen om uit te vissen wat er in hemelsnaam aan de hand is.

De regenwolken zijn opgelost: de ochtend is nu helder en de meidoorn staat in volle bloei. Je kunt hier vast mooi wandelen. Papa zou het hier leuk hebben gevonden. Na een hele dag werken in een taxi móést hij naar buiten en wandelen, zo ver mogelijk van de auto's en de wegen vandaan, met als enige gezelschap zijn camera met alle geavanceerde lenzen waar hij zo dol op was. De grond is hier een beetje modderig, wat me afremt, zodat ik afstap en de fiets het laatste stukje duw. Er is een kruising op de heuveltop maar ik zie dat de jongen aan de linkerzijde naar beneden loopt. Aan de voet van de heuvel liggen enkele boerderijgebouwen, maar er is alleen een wandelpad en ik besluit mijn fiets hierboven te laten staan en omlaag te lopen. Ik weet eigenlijk niet of ik hem wel wil ontmoeten, maar ik wil absoluut weten wat hij doet en dus volg ik hem.

Wanneer ik bij de tourniquet kom, ben ik blij dat ik niet omlaag ben gereden. Lopen was al moeilijk genoeg en ik ben tot op mijn knieën doorweekt en voel me behoorlijk ellendig. Ik heb de jongen niet meer gezien sinds ik de top heb verlaten, maar dat betekent waarschijnlijk dat hij mij ook niet heeft gezien en niet weet dat ik hem volg.

Totdat ik over hem struikel.

Iemand als God, iemand die daarboven op ons neerziet, zou nu hartelijk gelachen hebben. Eerst kun je zien hoe ik gehurkt achter een haag de jongen bespied. Dan kun je zien hoe de jongen gehurkt achter een haag iets bespiedt en ik hem vervolgens tegen het lijf loop en over hem heen val, plat op mijn gezicht in het natte gras. Helemaal doorweekt nu.

'Sst!' maant de jongen, die me veelbetekenend aankijkt en naar de gebouwen wijst. Ik kom op mijn ellebogen omhoog en kijk in de richting die hij aanwijst. Daar staat de auto van Kleine John, geparkeerd op het boerenerf. Hij maakt een misplaatste indruk, met zijn blinkend chroom en glanzende lak te midden van die vervallen gebouwen en roestige machines.

'Waar is hij?' fluister ik.

'Achter de schuur,' fluistert hij terug.

We blijven allebei gehurkt zitten, en staren zwijgend voor ons uit.

Een poos gebeurt er niets. Ik begin me stom te voelen. Wie is deze jongen? Wat gebeurt er allemaal? Kleine John is een huisvriend van ons. Dan zie ik weer voor me hoe hij de bloemen wegsmijt, de fiets vermorzelt. Ik voel me verward, alsof ik de weg kwijt ben.

Kleine John komt van achter de schuur te voorschijn. Hij kijkt rond, alsof hij iets – of iemand – zoekt. Hij zet een halve pas in onze richting, dan draait hij zich om, stapt in zijn auto en rijdt weg. Bij de schuur is een scherpe bocht en zijn auto verdwijnt uit zicht, het geluid van de motor sterft weg. Ik ga staan en kijk op de jongen neer.

'Wie ben jij?' vraag ik.

# 8
# Simon

'Wie ben jij?' vroeg ze.

Tot dan toe had ik me niet gerealiseerd dat ze niet wist wie ik was en plotseling voelde ik me opgelaten. 'Mijn vader heeft jouw vader vermoord' leek me niet echt een goed begin van een kennismaking.

'Ik ben Simon,' zei ik.

Ze keek me hulpeloos aan.

'Het spijt me van je vader,' zei ik, en stopte. Ik kon niet verder gaan, niet zeggen wie ik was. 'Ik wil je iets laten zien,' zei ik. 'In de schuur.' Ik liep de poort door en stond op het erf te wachten tot ze meekwam. Ze stond daar maar.

'Waarom doe je dit?' vroeg ze. 'Waarom is Kleine John zo kwaad? Nadat je bent weggerend, heeft hij je fiets vernield, weet je dat?'

'Er is iets vreemds aan de gang,' zei ik. 'Ik moet uitvinden hoe het zit. Het klopt niet wat ze zeggen.'

Ze staarde me aan. 'Was het jouw vader?' vroeg ze.

Ik knikte. 'Maar hij heeft het niet gedaan.'

Dat was de vonk die haar laaiend leek te maken. Ze stond hoger op de heuvel en leek boven me uit te torenen terwijl ze tegen me tekeerging. 'Jouw vader is een beest, nee, erger dan een beest. Hij heeft papa zonder enige reden vermoord.'

'Dat zou hij nooit doen.'

'Luister naar me!' schreeuwde ze. 'Luister gewoon naar de feiten. Jouw vader is die avond naar Grafton gereden, of niet?'

'Ja, maar...'

'Val me niet in de rede. Hij reed naar Grafton en gedroeg zich als een dolleman. Hij is gezien. Door twee onafhankelijke getuigen. Twee! Rijdend als een dolleman. Hoeveel dollemannen dacht jij dat er 's avonds op die weg komen? Honderden? Het was jouw vader die zich niet meer in de hand had.'

Ik keek haar aan en werd opnieuw bekropen door knagende twijfel, de kwellende gedachten die ik had moeten verdringen. Tot nu toe had ik mezelf ervan overtuigd dat papa zoiets niet kon hebben gedaan, maar haar woorden ondermijnden die overtuiging. Mama zei altijd dat papa nooit taxichauffeur had moeten worden. Hij had er het karakter niet voor. Het was ook niet zijn eerste keus, muziek was zijn grote liefde, maar hij zei altijd dat de doorbraak was uitgebleven en dat hij verplichtingen had. Het verkeer werkte hem op de zenuwen: de opstoppingen, het lawaai, de uitlaatgassen. Hij verafschuwde zijn klanten: lomp of zat, zei hij altijd. Hij was eigen baas maar moest zich door anderen laten koeioneren; had alle zorgen maar niet de onafhankelijkheid.

En hij was driftig. Als hij moe was, kon hij je afsnauwen, woest worden, een klap geven. En daar dan heel veel spijt van hebben.

Kon dit simpelweg verkeersagressie zijn geweest? Het was een lange dag geweest, en er kwam nóg een late rit. Te lucratief om te weigeren, maar misschien was het één rit te veel geweest. Veronderstel dat hij een ogenblik zijn zelfbeheersing had verloren. Eén ogenblik maar, waarop hij had uitgehaald. Een ongelukkige slag kan fataal zijn. Mensen kunnen een dunne schedel hebben, een hartaanval krijgen. Wat doe je dan? Het is te laat om excuses aan te bieden. Het kan niet ongedaan worden gemaakt. Niemand is ermee geholpen als je jezelf aangeeft, dat zou nodeloos drie levens verwoesten. Je kunt beter de auto in brand steken en wegrijden alsof er niets is gebeurd. En proberen ermee te leven.

Het meisje stond huilend boven mij, op de helling. 'Hij kan het niet gedaan hebben,' zei ik, maar nu zonder overtuiging.

'Hou je mond!' schreeuwde ze, waarna ze zich omdraaide

en weer het pad op strompelde. Ik keek haar na. Ik kon haar niet achterna lopen: ze haatte me, en niet zonder reden. Ze had gezegd dat mijn fiets in de prak lag. Als ik tussen de gebouwen door liep en dan linksaf sloeg, de weg op, zou ik bij mijn fiets aankomen als zij al vertrokken was. Dan kon ik de schade opnemen. Plotseling huiverde ik, bang voor mijn eigen gedachten.

Ik draaide me om en liep langzaam voorbij de gebouwen. Ik herinnerde me dat ik haar de in de schuur verborgen auto had willen laten zien. Ik begreep niet wat er aan de hand was. Als papa haar vader had vermoord, wat deed die man die zij Tijdbom, of zoiets, noemde dan allemaal met die bandensporen en in deze gebouwen? En waarom bedreigde hij mij? Zou zij hem kennen?

Ik liep de schuur in. De auto stond er nog. Ik maakte foto's tot de flits het niet meer deed: totaalbeelden, nummerplaten, de deuk. Ik wist eigenlijk niet wat ik zag, wat het betekende, maar het moest – net als de bandensporen – belangrijk zijn want anders zou de auto hier niet zijn verborgen. Ik kwam in de verleiding hem te onderzoeken, maar ik was bang dat ik mijn vingerdrukken zou achterlaten of bewijsmateriaal zou vernietigen. Ik tuurde door alle ruiten maar kon niets zien dat me van belang leek. Ik zag het sleuteltje in het contact steken en voelde even de drang opkomen om in de auto weg te rijden, hem aan de politie te overhandigen en te eisen dat ze mijn vader vrijlieten, maar ik wist dat het een zot idee was.

Ik liep naar buiten, het inmiddels heldere zonlicht in, en was kortstondig verblind. Ik keek omhoog om te zien of de kust vrij was, maar ik moest minder lang hebben gefotografeerd dan ik had gedacht. Het meisje, haar rug naar mij toegewend, liep langzaam omhoog en naderde de top van de heuvel. Ik vermoedde dat ze bovenaan zou stoppen om op adem te komen en dan een blik achterom zou werpen. Ik wilde niet dat ze mij dan terug zag kijken. Ik besloot de andere route te nemen.

Ik liep om de schuur heen en werd vastgegrepen. Een plastic tas schoof over mijn hoofd, armen omklemden mijn lichaam. Een moment verstijfde ik en vervolgens haalde ik diep adem om te gillen. Het plastic van de zak drong mijn mond binnen, kleefde tegen mijn neus. Ik kreeg geen lucht. Ik kon mijn handen niet bewegen om de zak weg te rukken. Hoe heviger ik probeerde adem te halen, hoe strakker het plastic zich naar mijn gezicht vormde. Ik werd duizelig en zakte door mijn benen.

De zak werd van mijn mond weggetrokken en vastgehouden terwijl ik lucht naar binnen zoog, met grote teugen die mijn lichaam deden schokken. 'Oké, je weet nu hoe je zult sterven als je gaat schreeuwen,' zei de stem die al twee keer eerder tegen mij had geschreeuwd, de stem van de man die het meisje Tijdbom noemde. 'En nu lopen!'

Hij duwde me over het erf, me soms een stukje dragend. Er sijpelde wat licht door het plastic en ik meende een paar vormen te onderscheiden, en daarna een duisternis. Ik kreeg een plotselinge, harde duw, verloor mijn evenwicht en viel languit naar voren, tegen metalen voorwerpen die kletterden en galmden. Pijn vlamde door mijn knie. Ik hoorde hout schuren en de duisternis werd dichter. Ik rukte de plastic tas van mijn hoofd. GOEDE WAAR VOOR MINDER GELD. Dat bericht hielp me niet veel.

Ik bevond me in een houten schuur. Stoffige bundels zonlicht sijpelden door spleten in de wand. Om me heen lag boerderijafval: lege vaten, roestige machines, plastic zakken. Ik onderzocht of ik gewond was maar er was geen bloed of schreeuwende pijn. Zelfs mijn knie leek nu mee te vallen. Ik stond op, bewoog me naar de deur en vond een gat dat groot genoeg was om doorheen te kijken. Het bood me zicht op de toegangsweg naar de boerderij. Het bood me zicht op een wegrijdende BMW. Toen bood het me zicht op een verlaten landschap.

Ik probeerde andere gaten in andere muren. Ik had nu een volledig beeld van de gebouwen en de velden, en van het totaal ontbreken van mensen. Ik wist niet of dat bemoedigend was, of juist niet. Eén ding was zeker: op dit moment was ik alleen. En nog iets was zeker: ik had absoluut geen idee voor hoelang ik hier was achtergelaten. Voor altijd? Tot de tijd rijp was zich voorgoed van mij te ontdoen? Ik rammelde aan de deur maar hij leek stevig te zijn afgesloten, zodat ik veilig was opgeborgen.

Ik wist wat me te doen stond. Iedereen die ooit een boek heeft gelezen of tv heeft gekeken, weet dat:

Situatie: opgesloten.

Oplossing: uitbreken.

En ditmaal moest het eenvoudig zijn. Oude houten schuur. Oud gereedschap, metalen gereedschap. Op school pas nog les over hefbomen gehad, die was geëindigd met een uit de hand gelopen demonstratie op de wip op het schoolplein. Eén geniale greep en de held had zich bevrijd.

Zo eenvoudig was het natuurlijk niet, en ik kwam erachter hoe zorgeloos schrijvers met details omspringen, hoeveel verhalen op een goocheltruc berusten. Ze proberen allerlei onmogelijkheden te verdoezelen. Het zou eerlijker zijn iets als dit te verkondigen:

Hoe ontsnap je uit een schuur?

1. Begin met het kiezen van een geschikte schuur. Een goede voorbereiding bespaart uiteindelijk veel werk. Veel beginners kwamen pas tot de ontdekking dat ze een totaal verkeerde schuur gekozen hadden toen het te laat was. Ideaal is een oude schuur die in slechte staat verkeert. Ook is het noodzakelijk een schuur te nemen die over een uitgebreide verzameling gereedschap beschikt. Inspecteer een aangeboden schuur nauwkeurig voor je hem aanvaardt. Gewiekste verkopers proberen nogal eens ongeschikte schuren te slijten aan argeloze beginners.
2. Pak je hefboom. Het uiteinde van dit instrument moet dun genoeg zijn om het tussen de wandplanken van de

schuur te wrikken, het instrument moet lang genoeg zijn om een hefboomkracht te kunnen uitoefenen en het moet stevig genoeg zijn opdat het niet onder je gewicht doorbuigt en je met je snufferd op de vloer belandt. Opnieuw geldt dat de tijd die je nu aan een nauwkeurige inspectie van de schuur besteedt, je straks eventuele ongelukken en teleurstellingen bespaart. Het is belangrijk nu de moed niet te verliezen. Als je de juiste schuur hebt gekozen, moet die een bruikbare hefboom bevatten. Het is gewoon een kwestie van goed zoeken.

3 Laat de wetenschappelijke aanpak varen en beuk gewoon als een gek tegen de achterwand totdat de planken versplinteren. Wring jezelf dan ten einde raad door het ontstane gat, waarbij je je armen flink openhaalt.

Op dat moment was ik vreselijk in paniek. Het is een van de vele voorvallen uit die tijd die ik het liefst zou vergeten, maar die me in mijn dromen bezoeken. Ik hoor mezelf nog krijsen, jammeren. Ik zie mezelf in blinde razernij tegen de muur tekeergaan tot ik er eindelijk doorheen breek en uit de duisternis het verblindende licht in stap. Ik zie mezelf staan in de zonneschijn, hijgend en bevend. Dan word ik wakker, hijgend en bevend.

Om de een of andere reden begon ik verwoed het gat te repareren dat ik in de rotte houten planken van de schuur had gemaakt, in de veronderstelling dat er elk moment een boze boer met een jachtgeweer kon verschijnen. Het mooie van verweerd oud hout is dat je de afgebroken kartelige uiteinden zo tegen elkaar kunt duwen dat niemand zou raden dat daar een breuk zit. Ik was trots op wat ik tot stand had gebracht, deed een stap terug en bewonderde mijn werk, om me vervolgens te herinneren dat ik mijn rugzak binnen had laten liggen.

Ik had nog net voldoende zelfbeheersing over om niet in geschreeuw uit te barsten en de schuurwand weer in te trappen. Ik liep om de schuur heen naar de voorkant en zag dat de deur met een in elkaar gedraaid stuk ijzerdraad was vastgemaakt. In een paar tellen had ik het losgedraaid. Het duurde wat langer voordat ik voldoende moed bijeengegaard had om terug in de schuur te gaan, mijn rugzak mee te grissen en weer naar buiten te snellen. Ik liet de deur openstaan, alsof ik door een handlanger was gered. Dat zou mijn overweldiger te denken geven als hij hier ooit terugkeerde.

Ik keek om me heen. Het leek wel alsof ik als enige op de wereld was overgebleven. De landweg stond me niet aan zodat ik over het wandelpad begon te lopen, terug de heuvel op, terug naar mijn vernielde fiets.

# 9
# Charley

De klim terug de heuvel op is steiler dan ik dacht en het is warm in de zon. Ik stop om op adem te komen en kijk achterom. Het erf is leeg en is weer rustig in z'n eentje verder aan het vervallen. Dan loop ik zonder onderbreking door tot de top.

Ditmaal ontwaar ik een gestalte: de jongen. Hij neust weer rond als een eersteklas lijkenpikker, al is het me een raadsel wat hij daar denkt te vinden. Hij loopt verder, en dan wordt hij plotseling besprongen. Iets wits bedekt zijn hoofd en hij wordt een van de gebouwen in geduwd. De deuren slaan met een klap dicht. De gestalte bukt en dan verheft hij zich en doet iets met de deur.

Het is Kleine John, besef ik nu. Ik sta in tweestrijd. Ik haat die jongen. Ik zou hem dolgraag in een schuur duwen, de deur op slot doen en hem gillend in het donker achterlaten, waar hij zijn handen tot bloedens toe tegen de muren beukt totdat hij in volstrekte radeloosheid neerzijgt. Laat hem ook maar eens kennismaken met het koude en gure gat waarin ik geworpen ben. Laat zijn moorddadige vader in zijn cel vernemen dat zijn zoon een vreselijke wraak te beurt gevallen is.

Maar ik verafschuw die etter van een Kleine John, en wat erger is: ik vertrouw hem niet. Er is iets gaande, maar ik weet niet wat. Besluiteloos sta ik op de heuveltop en uiteindelijk overwint de angst. Nee, ik kan niet geloven dat Kleine John die jongen echt iets aan zou doen, maar als hij daar toch toe in staat is dan loop ik ook gevaar.

Ik spring op mijn fiets en dender gevaarlijk snel de heuvel omlaag en dan de weg op. Ik trap hard door tot ik Grafton bereik; bij elke passerende auto krimp ik ineen uit angst dat het Kleine John is. Wanneer ik het dorp bereik, ben ik uitgeput. Ik zie dat iemand de gratis krant heeft bezorgd en ze half uit de brievenbussen heeft laten steken om de inbrekers aan te moedigen. Daar zal de Buurtpreventie, die aan de ingang van het dorp een dreigend bord heeft geplaatst, niet blij mee zijn. Ik passeer de kneuterige rij vakantiehuisjes met strodaken, waarvan de voordeuren direct op de straat uitkomen. Ik draag mijn steentje bij door uit een van brievenbussen een krant te pakken en die in mijn mand te gooien.

## Laatste nieuws over moord

schreeuwt de voorpagina mij toe. Laten ze me dan nooit met rust?

Ik zie de kerk en besluit naar binnen te gaan om even bij te komen. Alle gebeurtenissen van vanochtend hebben me van streek gemaakt. De deuren staan uitnodigend open. Binnen is het koel en stil en vertrouwd; mijn gympen maken geen geluid op de tegels wanneer ik naar de voorste bank loop. Ik kniel op wat mijn gebruikelijk plek aan het worden is en probeer me onder te dompelen in de rust.

We gaan maar af en toe naar de kerk: met Kerstmis, Pasen, speciale gebeurtenissen. Thuis speelt godsdienst geen rol, we praten niet over God. De dominee kwam langs: ter vertroosting en bemoediging, zei hij. Hij leek zichzelf graag te horen praten, maar vermoedelijk bedoelde hij het goed. Ik vind het vreselijk om alleen op mijn kamer te zijn, hier voel ik me kalmer. Deze kerk zou oma hebben bevallen. Hij lijkt op de kerk waar we naartoe gingen wanneer ik als klein kind bij haar logeerde: de mis vol van kaarsen en rook en stralende kleuren en gezang. Er hangt hier een zweem van wierook en kleine brandende lichtjes.

Ik logeerde bij oma in het jaar vóór ze plotseling stierf. Pas jaren later hoorde ik dat het haar geld was geweest waardoor papa de baan waar hij een hekel aan had kon opgeven en een taxibedrijf beginnen: eerst in zijn eentje en vervolgens de geleidelijke uitbreiding tot drie auto's. Groot genoeg, zei hij, om 24 uur per dag, 365 dagen per jaar service te kunnen verlenen en op de spitstijden iedereen te laten rijden, maar weer niet zo groot dat de zaak uitgroeide tot een monster dat zijn leven overnam. Het heeft precies de omvang die ik prettig vind, was wat hij altijd zei.

Hij had gehouden van zijn taxi's: gehouden van goed chaufferen, mensen ontmoeten, het gevarieerde werk, de vaste klanten en de zonderlingen, midden in het leven staan, met alle drukte van dien. Hij had altijd hele rissen verhalen over zijn werk: allemaal een beetje mooier dan de werkelijkheid, meende ik. Sommige draaiden om prachtige vrouwen in nood en hij als de ridder in zijn glimmende taxi. Mama deed alsof ze jaloers was maar hij zei altijd: 'Helaas, helaas, daar heb ik het te druk voor!' en dan deed zij alsof ze hem wilde slaan. Als een andere vrouw hem had weggelokt, had ik hem tenminste nog kunnen zien. Een vrouw, niet de Dood.

Ik had de zaak niks gevonden. Die vormde het middelpunt van zijn leven, terwijl ik dat had moeten zijn. Hoe vaak was hij niet weggesneld als we samen iets deden, onder het roepen van: 'Het spijt me, liefje, de plicht roept!' Hij leek altijd graag te vertrekken. Ik maakte me ongerust over verkeersongelukken. Sommige van zijn verhalen gingen over botsingen, of autowrakken die hij had gezien. Toen ik jonger was vertelde hij mama zijn verhalen in de keuken, onbewust van het feit dat ik op de trap zat te luisteren en me zorgen maakte over zijn veiligheid. Hij was angstvallig beleefd en voorzichtig, maar er zijn een hoop gekken op de weg. Gisteren was er weer eentje op tv: met honderdvijftig per uur over de snelweg, terwijl hij mobiel telefoneerde en op een schrijfblok aantekeningen maakte. Wat baten hoffelijkheid en voorzorg tegen zulke automobilisten?

Hij had geleefd voor zijn zaak en die mocht niet met zijn

dood ten onder gaan, worden opgekocht. Mama beschouwt Kleine John als zorgzaam, attent, betrokken. Ik weet dat hij gluiperig, onbetrouwbaar en vals is.

In de stilte van de kerk groeit mijn vastberadenheid. We zullen de zaak voortzetten. Ik zal erachter komen wat er aan de hand is.

Wat ís er aan de hand? Die jongen, Simon, had gezegd dat hij me iets in de schuur wilde laten zien. Kleine John was daar ook geweest. Waarom? Waarom was hij zo kwaad op de jongen? Ik had daar eerder niet over nagedacht. Nu kwam het me allemaal onbegrijpelijk voor. En de jongen is in de schuur opgesloten. Wat ga ik daaraan doen?

Ik kijk omhoog, naar het kruis boven het altaar, en besef dat ik hem niet in de steek kan laten. Ik kan de politie bellen, maar ik geloof niet dat ik dat aandurf. Er zullen dan zoveel vragen zijn. En mama raakt erbij betrokken. En Kleine John...

Ik moet terug. Voorzichtig gaan kijken wat er aan de hand is. Kijken wat zich in die schuur bevindt.

Tegen mijn zin verlaat ik de kerk. Ik loop naar buiten, het zonlicht en de toekijkende wereld in, en fiets vermoeid terug, verlangend naar de lange afdaling vanuit het dorp.

In de verte zie ik een gestalte, gebogen over een fiets die hij de heuvel op duwt, in mijn richting. Ik wil niet met hem praten. Mijn geweten is nu gerustgesteld. Ik keer om en peddel terug tot ik weer bij de kerk ben. Ik verberg mijn fiets achter de muur van het kerkhof en ga achter een grafsteen zitten. Het duurt een hele tijd voor hij er is. Afwisselend sleept en draagt hij de fiets. Hij ziet er gehavend en afgepeigerd uit.

Ik sla hem gade terwijl hij passeert en voel me plotseling dodelijk moe, te moe om me ook maar ergens druk over te maken, behalve dan dat ik naar huis wil. Ik besluit even te wachten tot hij weg is. Ik leun tegen de steen en doezel weg in de zon, en voel me als een lijk dat op de Dag des Oordeels te vroeg is herrezen.

# Laatste nieuws over moord

De politie heeft inmiddels een verdachte gearresteerd in de moordzaak die onze gemeenschap heeft opgeschrikt. De zaak van de 'verkeersagressie' lijkt ernstiger dan tot nu toe was aangenomen. Misdaad is doorgedrongen tot onze vredige gemeenschap.

Inspecteur Mopper wilde enkel zeggen dat een man 'de politie helpt bij haar onderzoek' – de uitdrukking die de politie altijd gebruikt wanneer zij denkt de dader te pakken te hebben.

Een politiewoordvoerder bevestigde dat Tony Lomond, eigenaar van Tony's Taxi's, in hechtenis is genomen, maar weigerde hem direct met de misdaad in verband te brengen.

Het slachtoffer, de populaire Bill Westcot, was een directe concurrent en eigenaar van Westcot Cabs. Vorige week, op woensdagavond, werd hij dood aangetroffen in zijn uitgebrande taxi aan de weg van Grafton naar Thorney.

De politie heeft het rapport van de lijkschouwer niet vrijgegeven maar gaat niet uit van een ongeluk.

Tony Lomond, 40 jaar en vader van een kind, woont met zijn vrouw Janet op Forest Road 65. Zijn bedrijf is geleidelijk in omvang toegenomen sinds hij het acht jaar geleden begonnen is.

Bill Westcot stond in onze gemeenschap bekend om zijn liefdadigheidswerk voor gehandicapte kinderen. Mevrouw Grace Stibb, woordvoerster van de Stichting Kinderactiviteiten (ska), die allerlei avontuurlijke activiteiten voor kinderen organiseert, zei dat hij node gemist zou worden. 'Iemand moet wel een grote schurk zijn om onze Bill zoiets aan te doen.'

# 10
# Simon

Ik vond het eerst al behoorlijk erg.

Dat was nog niets.

Ik had nooit gedacht dat mensen zo gemeen konden zijn. Of dat het zoveel pijn zou doen.

Het begon met telefoontjes. We hadden twee lijnen: ons privé-nummer, dat niet in de gids stond zodat onze persoonlijke en werktelefoontjes niet door elkaar gingen lopen, en het zakelijke nummer. Mama nam het eerste telefoontje aan. Ze wilde me niet vertellen wat er was gezegd, maar stond daar maar krijtwit op haar benen te trillen en toen liep ze het huis uit en de tuin in en leunde tegen de schuur.

Het eerste telefoontje dat ik beantwoordde, was van een keurig sprekende vrouw. Ze vertelde me precies wat ze van mijn vader vond, in afgemeten, kille bewoordingen, waarna ze de hoorn neerlegde.

De volgende, een man, tierde en vloekte.

Zodra ik de telefoon had neergelegd, begon hij opnieuw te rinkelen. En opnieuw. De haat golfde eruit en overweldigde me, en de telefoon hield me gevangen. Ik móést opnemen, elke keer als hij overging. En overging en overging. De wereld was vol met mensen die me wilden zeggen wat ze van mijn vader vonden. Na een eeuwigheid kwam mama terug en legde haar hand op de mijne toen ik op het punt stond de hoorn op te pakken en zette het antwoordapparaat aan. Dat kon meteen aan het werk. 'Beste klant, u spreekt met Tony's Taxi's. Helaas kunnen we u op dit moment niet te woord staan of een rit aannemen.'

'Zeg iets terug op het bandje,' zei ik. 'We hoeven toch niet alles over onze kant te laten gaan?'

Ze legde haar hand op mijn schouder. 'Het is zinloos om te reageren. Ze luisteren toch niet. Er zijn nu eenmaal een hoop verknipte mensen, en bovendien kan er een gewone beller tussen zitten, of een vriendelijk iemand. We moeten ons waardig gedragen, laten zien dat we erboven staan, totdat de tijd ons in het gelijk stelt.'

Maar vooralsnog bracht de tijd ons alleen maar meer en meer haat. Brieven die na het donker in de bus vielen. Brieven per post. Getypte brieven. Geschreven, in schreeuwerige rode hoofdletters. Viezigheid die in de voortuin werd gegooid. Hondendrollen, en erger, belandden van heinde en ver op ons voordeurpad, gleden over de ruiten, kwamen door de brievenbus. Na de eerste spreidde mama plastic op de grond om ze op te vangen, maar het huis bleef ernaar stinken.

Graffiti, aangebracht met spuitbussen, op de tuinmuur en de voorkant van het huis.

'Schelden doet geen pijn,' bleef mama mompelen, totdat ze met stenen begonnen en onze ruiten die donderdagavond aan diggelen gingen. Sinds het krantenartikel waren er nauwelijks vierentwintig uur voorbijgegaan, maar ik had genoeg haat voor meerdere mensenlevens doorstaan.

We kwamen naar beneden voor een kop thee en zaten getweeën achter in het huis. Met de zijdeur op de grendel voelden we ons daar veiliger. Mama had de politie gebeld en die zei dat ze zo snel mogelijk een wagen zouden sturen maar ze hadden het erg druk die avond.

Het werd eindelijk stil en we ruimden het glas in de voorkamers op: glasscherven besmeurd met viezigheid. 'We gaan naar oma,' zei mama.

'Stel dat ze ons daarheen volgen. Wat als ze dit ook bij haar huis doen?' We bekeken ons toegetakelde huis en dachten aan oma's keurige, liefdevol onderhouden huis.

'Jij gaat naar oma,' zei mama.

'Ik laat je hier niet alleen achter,' zei ik. 'Je hebt altijd gezegd dat ik me tegen bullebakken moest verweren. En waarschijnlijk is het nu voorbij. Ze hebben hun pleziertje gehad. Ze laten ons vast met rust.'

Dat was een misrekening.

# 11
# Charley

Wanneer Kleine John vers van zijn verniel- en opsluitactie op bezoek komt, heb ik het gevoel dat het leven in een van die nachtmerrieachtige kringetjes ronddraait. Hij werkt zijn gebruikelijke emotionele begroetingsprogramma af en gaat dan met mama aan de keukentafel zitten voor zijn gebruikelijk kop koffie. Ik blaas de gebruikelijke norse aftocht en ga buiten hun zicht op de trap zitten voor het gebruikelijke afluisteren.

Hij vervolgt met zijn gebruikelijke deelneming, wat inhoudt dat hij mama laat praten en praten en op de juiste ogenblikken iets bromt. Op dit punt niets dan lof voor hem, zelf heb ik er het geduld niet voor. Dan komt de onvermijdelijke riedel over het verkopen van de zaak, maar dit keer is er een verschil. Het is nu niet zozeer dat hij haar er een dienst mee bewijst, het is meer dat zij hem een dienst bewijst. Ik ga een trede lager zitten en spits mijn oren. Als het waar is, dan is het verrassend. Als het waar is.

'Ik wilde dit niet eerder zeggen,' zegt hij nu, 'omdat ik dat niet eerlijk vond. De zaken gaan momenteel helemaal niet goed.'

Mama komt met een opmerking over wat een prachtig bedrijf hij wel niet heeft, hoe papa het altijd bewonderde, maar je kunt horen dat ze haar ziel er niet in legt.

'Het wás een prachtig bedrijf,' zegt hij. 'Nu ben ik al blij als ik de lonen kan uitbetalen. We doen alles: taxi's, huurauto's, begrafenissen,' voegt hij buitengewoon tactloos toe.

'Bill zei dat er werk genoeg was momenteel,' zegt mama. In één sector is er nu zelfs werk te over, denk ik.

'Ik word er paranoïde van,' zegt hij. 'Er is ergens een taxi besteld, en zodra die arriveert is de klant weg. Soms is er helemaal niemand; soms blijkt er al een andere taxi te zijn gekomen. Auto's worden gehuurd, en dan komt er niemand opdagen.' Hij lijkt zich eindelijk te herinneren dat hij bij papa's begrafenis rijdt want hij laat dat onderwerp rusten, maar het zet mijn verbeelding in werking. Komen de lijken ook niet opdagen? Worden ze weggekaapt door een concurrerend bedrijf? Zijn de mensen gestopt met doodgaan?

Wanneer ik weer luister, is hij bezig over zijn verdenkingen en hij verbindt die met zijn verdenkingen over papa's dood. 'Het maakt deel uit van een patroon,' zegt hij, 'het past in het patroon. Hij schuwt geen enkel middel om zijn klandizie uit te breiden: onze radioberichten onderscheppen, ambulances najagen, en nu intimidatie. Mijn vermoeden is dat hij Bill gewoon bang heeft willen maken en dat er iets misging. Die jongen van hem gedraagt zich ook heel verdacht. Ik denk dat hij bewijsmateriaal heeft proberen te vernietigen.'

Mama zegt iets over de politie.

'Het zijn niet meer dan verdenkingen,' zei hij. 'Ik heb geen bewijs, geen enkel bewijs. Het enige wat ik tot dusverre heb gedaan, is die jongen de schrik op 't lijf jagen. Ik werd gewoon woest, door al dat vechten tegen een onzichtbare tegenstander.'

Mama geeft een paar begripvolle geluidjes ten beste en brengt het onderwerp dan op iets anders. Ik loop naar mijn kamer, ga op mijn bed liggen en denk na. Als iemand zich merkwaardig gedraagt, dan is het Kleine John. Ik heb het idee dat zijn verhaal aan alle kanten rammelt. Ik vermoed dat hij, als elke goede leugenaar, delen van de waarheid neemt en die een beetje door elkaar hutselt. Die bedreigingen waarover hij het had, die gaan toch altijd uit van een groot bedrijf? Het zijn zelden de kleintjes die op de speelplaats de boel terroriseren. Híj is degene die, goedschiks of kwaadschiks, de kleine bedrijven probeert over te nemen...

En dan explodeert er in de lucht een enorm vuurwerk dat

het hele landschap doet oplichten. Hij heeft papa's dood op zijn geweten. Hij heeft Tony Lomond erin geluisd. En nu probeert hij te voorkomen dat diens zoon het bewijs van al zijn misdaden vindt.

Hij zal beide bedrijven weten te bemachtigen. Het ene gekocht van een treurende weduwe, het andere van de vrouw wier man een lange gevangenisstraf uitzit. De doortrapte, vuile rat.

Alleen de jongen staat hem nog in de weg.

De jongen. Simon, zei hij dat hij heette.

Ik sluit mijn ogen en laat de gebeurtenissen zich opnieuw afspelen. Kleine John die naar de jongen schreeuwt, woedend over zijn fiets heen rijdt. De jongen, Simon, bij de haag voor de oude boerderij, die met vochtige ogen zegt dat het hem spijt van papa en die me iets wil laten zien, waarna ik tegen hem uitval. Kleine John die hem in een schuur duwt en ik die vertrek. Ten slotte zie ik mezelf, van achter een grafsteen toekijkend hoe hij terneergeslagen zijn vernielde fiets voortduwt.

Ik hoor stemmen in de hal, de deur. Ik sta van mijn bed op en kijk uit het raam, aan de zijkant zodat ik zelf niet zichtbaar ben. Kleine John loopt het pad af, naar zijn glimmende BMW. Die ziet er niet uit als de auto van een man die bijna bankroet is.

Ik plof terug op mijn bed en staar weer naar het plafond. Als ik gelijk heb, heeft Kleine John het hele geval bekokstoofd. Als ik gelijk heb, werkt het ongeveer zo:

RECEPT VOOR HET OVERNEMEN VAN TAXIBEDRIJVEN

Dit basisrecept stelt u in staat twee bedrijven in één keer op te slokken: het ene bedrijf stooft het andere vanzelf gaar.

*Ingrediënten*

- een middelgrote stad met verscheidene taxibedrijven, waarbij het uwe de grootste moet zijn

- een totaal gebrek aan geweten
- een medeplichtige

*Bereidingswijze*

- uw medeplichtige bestelt een taxi bij bedrijf A
- u... u...

Ik kan alleen over de hele affaire nadenken door er een soort spel van te maken, en zelfs dan loop ik op een gegeven punt vast. Maar de grote lijn begint me nu duidelijk te worden. Wat me de hele tijd in verwarring had gebracht, was dat papa twee dingen gedaan zou hebben die helemaal niets voor hem waren: rijden zonder gordel om en bij een verkeersruzie betrokken raken. Nu heb ik een idee hoe het allemaal kan zijn gegaan.

En hoe de intrige zich verder ontwikkelt. Hij koopt nu uit goedhartigheid papa's bedrijf op, om mama te helpen. Het bedrijf van meneer Lomond gaat ofwel failliet wanneer hij de gevangenis in gaat, zodat er weer een concurrent is uitgeschakeld, óf hij kan het voor een prikje overnemen. Hij heeft twee bedrijven verzwolgen en is groot genoeg om de rest te verpletteren. Geen wonder dat hij overloopt van verhalen over vuile trucs, over taxioorlogen. Maar hij is niet het slachtoffer, beslist niet. Hij is de grote boze wolf.

En alleen de jongen staat hem in de weg. De jongen met de vochtige ogen en de geruïneerde fiets.

En ik, als ik wil. Als ik durf. Als ik wist wat ik moest doen. Als ik naar de politie durfde te gaan, met verdenkingen zonder bewijs.

Een hysterische tiener die net haar vader heeft verloren. Geef haar een kalmerend middel.

De jongen en ik – wij tweeën.

Wat wilde hij me laten zien?

Ik weet waar hij woont, dat stond in de krant. Ik ga erheen en bied m'n excuses aan.

Zodra ik de hoek omsla en zijn straat in rijd, weet ik het al, maar desondanks fiets ik langzaam door. Van huis nummer vijfenzestig aan Forest Road zijn alle voorramen dichtgespijkerd en de voortuin is een bende. Ze zijn weggejaagd door de bullebakken.

Nu sta ik er alleen voor.

Maar ik kan het niet.

# Man aangeklaagd voor moord op taxichauffeur

In het onderzoek naar de dood van William Westcot, op 7 mei op de weg van Thorney naar Grafton, heeft de politie gisteren een man aangeklaagd.

Anthony Lomond, van Forest Road 65, zal vandaag op beschuldiging van moord voor de rechter worden geleid. De politie zal zich verzetten tegen borgtocht.

De 40-jarige Lomond is eigenaar van een concurrerend taxibedrijf en de politie sluit een verband niet uit. Eerder werd aangenomen dat het een geval van verkeersagressie betrof.

'We houden alle mogelijkheden open,' zei inspecteur Mopper, die het onderzoek leidt. Hij doet een beroep op getuigen die zich op de bewuste woensdagavond tussen 21:00 en middernacht in het gebied bevonden, en op iedereen die over andere informatie beschikt.

Lomonds gezinsleden hebben hun huis verlaten na enige ongeregeldheden op donderdag waarbij ruiten sneuvelden. Inspecteur Mopper verklaarde dat de politie dergelijk onwettig gedrag niet tolereert, maar dat hun middelen nu eenmaal beperkt zijn.

Chidham Rd 16
vrijdag de 16de

Beste Simon,

Ik ben bij je huis geweest maar het was helemaal dichtgespijkerd en in de krant stond vandaag dat je vertrokken bent zodat ik niet weet wat ik moet doen. Jullie telefoon is ook uitgeschakeld. Ik dacht dat dit bericht je misschien kan bereiken, omdat er misschien iemand de post voor jullie ophaalt.

Het spijt me dat ik woensdag tegen je geschreeuwd hebt. Ik dacht toen dat jouw vader het gedaan had. Nu denk ik dat niet meer maar ik heb geen bewijzen.

Heb jij die wel? Wat wilde je me laten zien? Bel me alsjeblieft: 25571. Alsjeblieft.

Ik weet niet wat ik moet doen.

Het spijt me.

*Charley Westcot*

# 12
# Charley

Het weer is zonnig en warm geworden, als om mij te bespotten. Mijn stemming vraagt om striemende regen en door de wind geteisterde woestenijen, waarboven bliksemflitsen weerlichten en de donder rolt. In plaats daarvan krijg ik stoffige stadswegen en de stank van het verkeer.

De politie heeft ons toestemming gegeven voor papa's begrafenis.

Ik weet dat Kleine John hem heeft vermoord.

Ik hoor maar niets van Simon.

Begrafenissen: je ziet te vaak films met vredige taferelen op landelijke kerkhoven, beschaduwd door iepen waarin roeken toekijken hoe de doodskist in de verwelkomende aarde zakt en de grijzende dominee zijn prachtige tekst reciteert terwijl de narcissen glanzen in het bedauwde gras. Mama wilde geen crematie, niet na alles wat er gebeurd was, zei ze, en dus is het het kerkhof geworden. Rechte rijen van bleke, kale grafstenen. Het gat afgezet met groen plastic gras. Het banale praatje van de dominee, enkel bestaande uit holle smakeloze moderne prietpraat. En ik? Ik had willen jammeren, mezelf in de gapende mond van de aarde willen storten, willen tieren tegen het licht dat hem ontnomen werd. Maar ik stond stijf en correct bij het plastic gras, roerloos en met droge ogen.

Kleine John: een steun en toeverlaat wordt hij genoemd, door iedereen. Een schaamteloze en doortrapte slang, die mama de vergiftige appel aanbiedt.

Simon: de gespannen, trieste Simon tegen wie ik heb geschreeuwd, waarna hij zich geschokt terugtrok in zijn eigen hel. Nu ergens verloren ronddwalend.

Ik ontvlucht het huis wanneer ik maar kan. Het geeft me een schuldig gevoel, want ik weet dat mama me nodig heeft. Ik weet ook dat we elkaar niet opbeuren maar juist omlaag trekken, omlaag naar die zwarte bodemloze afgrond, zonder een plek waar je kunt stoppen en uitrusten en op adem komen om je vervolgens naar boven te worstelen. We zijn zwemmers die tezamen verdrinken in de geluidloze wereld onder water. We maken geluidloze mondbewegingen maar dringen niet tot elkaar door.

Telkens wanneer Kleine John komt, vlucht ik. Gedeeltelijk uit verlangen om te ontsnappen naar de buitenwereld, gedeeltelijk uit angst voor zijn bloedige handen. Ik ontvlucht het dorp met zijn straten van voortrollende metalen doodskisten, waarin zombies zitten te mompelen en waaruit dodelijke dampen komen. Ik ontvlucht mijn eigen groeiende wanhoop.

Ik beschik over twee toevluchtsoorden. Op de eerste plaats de kerk van Grafton. Ik heb leren houden van zijn koele vredigheid, de zweem van wierook en de vlammen van de votiefkaarsen, bleek in het zonlicht. Ik kan me er niet toe brengen een kaars aan te steken, aan de voeten van het beeld van Madonna en Kind. Mijn moeders handen zijn weliswaar naar me uitgestrekt, maar meer als die van een verdrinkende vrouw, en ze kan mijn verdriet niet langer wegwiegen in haar armen. Toch put ik troost uit het kleine vuurtongetje dat zo zachtjes op de kaars danst, alsof het helemaal geen kwaad kan doen.

De kerk giet vrede over me uit, vult de leegte op zodat ik weer vaste grond onder me voel. Soms laat ik het daarbij; soms is dat voldoende. Op ander dagen, de warmere en benauwdere, blijf ik rusteloos en rijd dan verder naar de heuveltop waar altijd een zwak briesje staat. Hier maakt het weidse landschap alles onwerkelijk. Ik kan vanuit mijn hoge positie kijken naar de plek waar papa stierf, naar de boerderijgebouwen die een geheim lijken te bevatten, en naar huis en een onbeschadigd leven.

Er is nog een andere reden waarom ik naar die twee plekken blijf terugkeren. Het was daar dat ik Simon heb ontmoet en het is daar dat ik hem opnieuw hoop te ontmoeten. Hij lijkt de enige die het raadsel kan oplossen. De boerderijgebouwen trekken me aan, maar in mijn eentje durf ik ze niet te betreden. Ik neem een boek mee en lees in de schaduw van de haag tot het tijd is om naar huis te gaan.

Op een middag, zo'n twee weken nadat ik Simon voor het laatst heb gezien, houd ik het niet meer uit. Ik laat mijn fiets op de top achter en baan me een weg over het wandelpad. Het is totaal overwoekerd en ik vorder maar moeizaam, wat mijn gedachten een beetje afleidt van mijn bestemming. Ik worstel me door de weelderige natuur om bij het verborgen mysterie te komen: Ariadne die zich zonder Theseus door het labyrint heen worstelt. Klitten en distels kleven aan mijn broek, in een poging me tegen te houden. Meidoorntakken graaien naar mijn gezicht, in de hoop me te verblinden.

Ik bereik de tourniquet waar ik over Simon was gevallen, waar we Kleine John hadden gezien. Het erf en de gebouwen zijn leeg, vredig, zo vredig dat ik bang word voor wat er in het zwarte binnenste van de vervallen schuren verborgen zou kunnen liggen.

Het is moeilijk om door de tourniquet te lopen, de helling af te glijden, de eerste voet op het gebarsten beton van het erf te zetten. Ik heb te veel films gezien waarin nare mannen de argeloze heldin grijpen. Weliswaar ben ik een argwanende heldin, maar ik denk niet dat ik daardoor van zo'n plotselinge aanval gevrijwaard ben. Ik wil het uitschreeuwen: 'Vooruit! Kom me maar halen, maak er een eind aan!' maar durf dat niet.

Dit is idioot. Ik dwing mezelf naar de dichtstbijzijnde zwarte muil te lopen. Het is gewoon een lege schuur. Zonlicht schiet door spleten in de muur, stofjes dansen. Wanneer mijn ogen aan het donker gewend zijn, zie ik het gebruikelijk boerderijafval: roestig metaal en gescheurd plastic.

Als er hier iemand is, heeft hij zich goed verstopt. Ik werp een snelle blik over mijn schouder voor het geval iemand me besluipt, maar zie niets. Ik dwing mezelf de schuur binnen te lopen en por hier en daar in de rommel. Het lijkt allemaal niets te betekenen. Ik weet niet wat ik moet verwachten. Simon had iets gevonden. Kleine John vond dat blijkbaar bedreigend genoeg om hem op te sluiten. Dat was een paar weken geleden, besef ik opeens. Wat er hier ook was, het zal nu wel verdwenen zijn.

Dat besef verjaagt alle gedaanten die in het donker op de loer liggen. Niemand zal hier nu zijn tijd verdoen. Dit is gewoon een verlaten boerderij, meer niet. Ik keer het duister de rug toe en stap met een opgelaten gevoel terug in het licht. Kordaat verken ik deze trieste plek helemaal: niets, niets en nog eens niets. Ingebeelde angsten, aangewakkerd door verdriet en slaapgebrek.

Ik kijk in de laatste schuur en wil me al omdraaien naar de heuvel en mijn fiets, wanneer ik besef wat ik zie en alle angstaanjagende gedaanten met kreten van verrukking weer vorm aannemen. Ik dwing mezelf te stoppen. Op de een of andere manier weet ik één pas te zetten, en dan nog een en nog een, het donker in.

Tegen de achterwand staat een taxi, met twee dooreengevlochten T's op het voorportier, een grote deuk in het achterportier. TT: de taxi van Simons vader. Het moordwapen.

Ik ren als een bezetene weg: over het erf, door de tourniquet, de heuvel op. Mijn voet blijft haken en ik val voorover op het overwoekerde pad. Ik lig daar hijgend en verwacht dat handen me zullen grijpen. Mijn ademgesnak en bonzende hart overstemmen alles, zodat ik ze niets eens zou horen aankomen.

Er komt niemand. Mijn spanning ebt weg. Ik draai me om en ga zitten. Er is niets veranderd. Een gedachte valt uit de heldere hemel:

Als dat de taxi van Simons vader was, waarom zou uitgerekend *híj* die dan aan mij willen laten zien?

Ik raap die gedachte op, bekijk hem van alle kanten en onderwerp hem aan een kritische inspectie. Ik vind geen antwoord. Moet ik teruggaan en verder zoeken? Maar waar moet ik dan naar zoeken? Simon moet iets gezien hebben dat hem een aanwijzing gaf. Van wie is de auto dan wel, als hij niet van zijn vader is? En als dit met papa's dood te maken heeft, dan is het gevaarlijk, verschrikkelijk gevaarlijk. Voor zijn moordenaar. Voor mij. Voor Simon. Dit hier is geen onschuldige verlaten boerderij. Het is een landmijn, speciaal hier neergelegd voor mij, voor hem.

Ik sta op en loop weer de heuvel omhoog. Ik kijk om de andere stap angstig over mijn schouder, kijk ook omlaag naar mijn voeten om te voorkomen dat ik opnieuw struikel. Naarmate ik verder weg kom, groeit mijn paniek omdat ik me realiseer hoe dom ik ben geweest. Simon is op de een of andere manier aan Kleine John ontsnapt. Voor de volgende gegrepen persoon zou dat wel eens minder gemakkelijk kunnen zijn. Ik loop de laatste paar passen langzaam, achteruit. De vervallen boerderij blijft verlaten. Niets beweegt. Ik merk dat ik mijn adem heb ingehouden en slaak een diepe zucht.

Een hand raakt mijn schouder aan.

# 13
# Simon

Nooit heb ik iemand zo zien opspringen als Charley deed toen ik haar aanraakte. Ze schokte, draaide zich om en viel, en dat alles in één beweging. Ze zat op de grond en keek omhoog. 'Waar heb jij gezeten?' riep ze me toe. 'Shit, man, wat liet je me schrikken!'

'Het spijt me. Ik kreeg je brief pas vanochtend. We zijn een tijdje weg geweest. Ik heb je proberen te bellen maar je was er niet. Ik was op zoek naar je. Ik hoopte al dat je hier zou zijn.'

Het leek er niet op dat ze ging staan, dus ging ik naast haar zitten.

Gisteren hadden we papa in de gevangenis bezocht. Mama had me eerder niet meegenomen. Hij was in voorarrest, maar het leek alsof hij al veroordeeld was. Hij en mama probeerden te doen alsof alles weer goed zou komen, maar ik had het idee dat ze dat zelf niet geloofden. Toen ik daar gisteren in de bezoekersruimte zat, met hen gemaakt vrolijk vanwege mij, kon ik niet geloven dat het ooit weer goed zou komen. Ik was zo verschrikkelijk wanhopig dat ik ter plekke dacht dood te gaan. Zij waren het niet, niet echt, dat waren slechts onwerkelijke, holle schaduwen. Nu ik vandaag op de heuveltop in de zonneschijn zat, kwam dat alles onmogelijk en onwerkelijk op me over, als een verhaal.

'Ik heb de taxi gezien,' zei ze. 'Dat wilde je me laten zien, nietwaar?' Ik knikte. Hij stond er dus nog. Dat verbaasde me. 'Wat wil dat zeggen?' vroeg ze. 'Is hij niet van je vader?'

'Nee, zeker niet! Ik dacht dat je geloofde dat hij het niet gedaan had. Het is niet de zijne,' wist ik ondanks alles kalm te zeggen. 'Ik weet dat het de zijne niet is. De nummerplaten zijn hetzelfde maar het is niet dezelfde auto.' Ik telde de feiten af op mijn vingers. 'De stoelen hebben niet dezelfde kleur. Er is geen tachometer. Er is geen blikje met zuurtjes. Het logo is slordig geschilderd. Het moest er uitzien als zijn auto, maar het is hem niet.'

'Iemand heeft hem er dus ingeluisd,' zei ze. 'Dat dacht ik al. Ik weet wie.'

'Die man,' zei ik. 'De man die mij gegrepen heeft. Tijdbom.'

'Tijdbom?' vroeg ze, en toen lachte ze, lachte ze echt. 'Kleine John,' zei ze. 'Je weet wel, net als Long John Silver, de piraat. Het is een eigen grapje van me.' Ik staarde haar aan. De man had totaal niet op Long John Silver geleken. 'Och, het is een beetje onnozel,' zei ze. 'Ik was *Schateiland* aan het lezen en toen kwam hij binnen, John Hunston, heet hij eigenlijk, maar hij wil graag dat ik hem oom John noem, en hij zei: "O, is dat geen jongensboek? Ik hoop niet dat je zo'n wildebras wordt, Charlotte." De slijmbal. En ik dacht: je bent klein, hebt twee benen, geen papegaai, en je bent geen piraat, maar toch vertrouw ik je voor geen cent. Dus begon ik hem voor mezelf Kleine John te noemen. Maar Tijdbom vind ik ook niet slecht.'

'Dus jij denkt dat Tijdbom het gedaan heeft?' vroeg ik. Ik vond dat Kleine John hem iets gemoedelijks gaf, en ik had bepaald niet het idee dat hij gemoedelijk was.

'Hij is de eigenaar van Caring Cars en hij probeert papa's bedrijf van mama te kopen, begon daar zelfs al voor de begrafenis mee. Mijn vader dood, de jouwe in de gevangenis – en hij krijgt alle klandizie.'

'Maar moord?'

'Iemand heeft papa vermoord,' zei ze. We zaten zwijgend tegenover elkaar en ik dacht na over wat ze had gezegd. Het leek te kloppen.

'Het is een hoop gedoe voor een paar taxi's,' zei ik.

'De concurrentie is uitgeschakeld. Daardoor zouden zijn inkomsten verdubbelen, misschien wel verdriedubbelen.

Dat is een hoop geld. En dan zou hij zijn zaak kunnen uitbreiden, naar andere steden.'

Ik was nog steeds niet overtuigd. Ik zou iemand niet voor geld kunnen ombrengen, maar ik wist uit de krant dat het vaak gebeurde.

'We moeten het nu aan iemand vertellen,' zei ik. 'Zou je mee willen gaan om het mijn moeder te vertellen? Ik ga niet naar de politie. Ik heb op tv gezien hoe ze je uitlachen. We vertellen het mijn moeder en dan gaat zij wel naar de politie, of naar haar advocaat.'

'Goed,' zei ze. 'Dat doen we.'

We hobbelden omlaag over het ruiterpad en draaiden de weg op, richting huis. Ik reed op mama's ouderwetse vehikel en ik had moeite om haar op de lange klim naar Grafton bij te houden. In elk geval hoefde ik deze keer niet mijn vernielde fiets omhoog te duwen. Even later, toen een vertrouwde zwarte BMW over de weg zwenkte en vóór Charley stopte, kreeg ik het gevoel dat we terug in de tijd waren gegaan.

Tijdbom, of Kleine John, sprong van achter het stuur naar buiten en liep over de weg op haar af. Ze was gestopt zodra ze hem zag, maar week geen duimbreed. De ruzie was begonnen voordat ik ze had ingehaald. Ze gilde tegen hem, uit alle macht. Ze was totaal buiten zichzelf, had alle zelfbeheersing verloren.

Hij zette een stap naar haar toe. Ze gooide haar fiets naar hem, gooide er echt mee. Haar razende woede moest haar de kracht daarvoor hebben gegeven. Op zoiets was hij niet bedacht en hij viel op de weg met de fiets boven op hem. Ze bleef maar gillen en liep op hem af alsof ze hem wilde schoppen of op de fiets springen om die door hem heen te rammen.

Ik stapte van mijn fiets, greep haar en wist haar min of meer weg te trekken. Ik hield haar vast terwijl ze op de weg stond te tieren: een redeloze woordenstroom. Ze stopte plotseling en begon toen te huilen en te trillen. Hij stond langzaam op, de fiets van zich af tillend. Hij zette hem voorzichtig in de berm en hief zijn handen afwerend naar haar op.

'Wat heb ik gedaan?' vroeg hij.

Charley was geweldig op dat moment. Ik weet niet hoe ze het klaarspeelde. Ik zou zelfs niets hebben kunnen zeggen. Ze schudde mijn armen van zich af, hief haar hoofd op en keek hem recht aan. 'Je hebt mijn vader vermoord,' zei ze eenvoudig.

Hij staarde haar aan, draaide zich toen om en liep weg, terug naar zijn auto. Ik zag haar een diepe teug lucht nemen en dacht dat ze op het punt stond weer te gaan gillen, zodat ik mijn hand uitstak en haar aanraakte. Ze ademde langzaam uit terwijl hij zich omdraaide. Hij stond achter zijn auto, op de stille landweg, en ik voelde me doodsbang.

Hij stak zijn handen in de lucht en liet ze langzaam zakken. 'Wát heb ik gedaan?'

'Je hebt mijn vader vermoord, en ervoor gezorgd dat zijn vader de schuld kreeg. We kunnen het bewijzen!'

'En waarom zou ik dat gegaan hebben?'

'Je wilt papa's bedrijf kopen.'

'Charlotte, ik wil het bedrijf kopen om je moeder te helpen. Het gaat er momenteel genadeloos aan toe in de taxibranche. Er zijn mensen die een zakenimperium proberen op te bouwen door ons allemaal te ruïneren. Het is oorlog. Grote bedrijven veroveren de markt. Zelfs ik houd maar nauwelijks het hoofd boven water. Je vader had het zwaar, en je moeder redt het nooit. Echt niet.'

Hij klonk zo oprecht dat ik hem bijna geloofde. En het strookte met papa's zorgen.

'Mijn vader heeft hem niet vermoord,' zei ik.

'Ik kon dat ook niet geloven,' zei hij. 'Je vader is een fatsoenlijke kerel. Maar de politie leek zeker van haar zaak. Ik dacht dat de spanning hem uiteindelijk te veel was geworden, of dat het een afschuwelijk ongeluk was. Als er al sprake van een of andere intrige is, dan zal hij daar zeker niet achter zitten. Meestal denk ik dat ik gewoon paranoïde ben.'

'Ja, allicht zeg jij dat,' wierp Charley tegen. 'Maar moordenaars staan nou niet direct bekend om hun eerlijkheid.'

Ik zag hem bij dat woord ineenkrimpen. Ik wist hoe het voelde wanneer iemand je 'Moordenaar!' toebeet, of 'Moordenaar! Moordenaar! Moordenaar!' scandeerde – alsof je in een nachtmerrie op het schoolplein werd uitgejouwd.

Hij deed twee stappen in onze richting. 'Hoe kan ik jullie overtuigen? Ik had er niets mee te maken. Je kent me toch, Charley?'

Daardoor leek er iets in haar te knappen en ze begon opnieuw onbeheerst te gillen. Ze ging redeloos tekeer en maakte hem uit voor al wat lelijk was. Ik pakte haar opnieuw vast en hij liep achteruit, met opgeheven handen alsof hij zo al die woede kon afweren. Hoe ellendig dit alles ook voor mij was geweest, ik besefte nu dat het voor haar nog veel, veel erger was. Onvoorstelbaar veel erger.

Ik legde mijn arm om haar heen en trok haar weg. Ze liet zich meevoeren, een paar meter verder de weg af. Hij stond daar maar en keek als versteend toe. 'De auto,' zei Charley, en ze wendde zich weer tot hem. 'Hoe zit het dan met die auto?' gilde ze tegen hem.

'Niet doen!' zei ik vlug en zachtjes. 'Zeg niets tegen hem over de auto of de schuur. Niet hier. Het is hier niet veilig.' Ik zag opeens voor me hoe hij zijn auto over ons heen zou sturen zoals hij dat eerder met mijn fiets had gedaan en ons verpletterd in de berm zou achterlaten.

Ze maakte zich van me los en liep op hem af. 'Je bent een monster. Een vuile gluiperd. Een leugenaar. Een moordenaar. We krijgen je wel.'

Hij draaide zich om, stapte in zijn auto en startte de motor. Charley stond ertegen te trappen en bewerkte de kofferbak met haar vuisten. Hij ging haar overrijden. Hij hoefde alleen maar achteruit te rijden en ze zou onder de wielen liggen. Ik rende naar haar toe maar voordat ik bij haar kon komen, bewoog de auto. Hij schoot naar voren en stopte toen.

'Ga naar huis, Charlotte! Je moeder heeft het al moeilijk genoeg zonder dat jij je aanstelt. Kom nu, ga gewoon naar huis en gedraag je verstandig.' En weg was hij, met piepende banden over het asfalt.

'De schijnheilige schoft!' zei ze.

'Hij had ons wel kunnen vermoorden,' zei ik. 'Wanneer het tot hem doordringt wat jij hebt gezegd, komt hij misschien terug. We moeten hulp halen. We zijn niet veilig op deze stille wegen.'

Ze leek niet in staat om ook maar ergens heen te gaan. Ze zat in de berm en bleef maar huilen. Ik stond naast haar en voelde me machteloos. Ik had bij haar moeten gaan zitten, haar in mijn armen moeten nemen en troosten. Na alles waarvan ze die man beschuldigd had, zou ze mij misschien ook van valse bedoelingen verdenken. Het was om door de grond te gaan. Ik stond daar maar, nutteloos, terwijl zij huilde. Het is niet eenvoudig een man te zijn.

# 14
# Charley

Altijd hetzelfde: de vrouw hysterisch en de man sterk en zwijgzaam. Allebei nutteloos. Zelfs als we erop hadden aangestuurd, had de confrontatie met Kleine John niet slechter kunnen verlopen. Ik snap niet waarom ik niet het verstand had om de gebruikelijke chagrijnige Charlotte te spelen. Nu is hij weggereden in de wetenschap dat we hem door hebben. Stom, stom, stom.

Simon zit ook op de grond en prutst aan zijn rugzak zonder me aan te kijken. Hij moet het beu zijn. Met name míj beu zijn. Hij haalt een kaart te voorschijn en vouwt die open. 'Wat doe je?' vraag ik om de spanning te breken.

'Een andere weg naar huis zoeken,' zegt hij, 'voor het geval hij terugkomt.'

Plotseling begrijp ik wat hij bedoelt. Kleine John heeft al een keer gemoord. Hij heeft Simon opgesloten in een schuur. Hij moet radeloos zijn. Een trefzekere aanrijding op een verlaten plek. Gewoon een tragisch ongeluk en een automobilist die te laf is om te stoppen. We fietsen naast elkaar, onbezorgd kletsend. We horen een auto achter ons. Nou en? Er zijn altijd auto's op de weg. En dan? Een vertwijfeld inzicht terwijl ik door de lucht vlieg? Misschien ben ik niet meteen dood. Misschien rijdt hij weg. Simon ligt dood naast me, en ik sterf langzaam en pijnlijk, vergeefs wachtend op hulp.

Ik kijk naar Simon en lees dezelfde angst in zijn ogen. We kijken naar de kaart om elkaars panische blik te vermijden. Zijn vinger volgt een route die ons via een lange omweg naar de stad brengt. In de stad zullen we toch zeker veilig zijn?

Simons moeder is niet thuis.

Er ligt een briefje: *Ben papa bezoeken.* Het huis voelt heel leeg aan, omsingeld door onzichtbare haat. Ik zie koffers in de hal staan. Simon is heel nerveus. Toen we eerder even stopten om uit te rusten, vertelde hij me waarom ze een poosje weg moesten. Hij had het erover dat ze eerst naar zijn oma gingen en toen verder naar zijn tante. Binnenkort, als het proces begint, of als er nog meer publiciteit komt, zullen ze weer weggaan en rond blijven trekken om de kranten te ontlopen. Hij is niet graag alleen in het huis en aan mij heeft hij ook niet veel. Ten slotte besluiten we naar mijn huis te gaan, het aan mijn moeder te vertellen. Hij is er niet happig op en denkt dat zij hem nu zal verafschuwen, maar het is beter dan hier zitten niksen.

Zodoende zitten we weer op onze fietsen en rijden door de straten, tot we bij mijn huis zijn. Hij wil eigenlijk niet binnenkomen maar ik duw hem voor me uit en doe de voordeur achter me dicht zodat hij er niet vandoor kan gaan. Wat jammer is, want wie zien we achter zijn gebruikelijke kop koffie zitten wanneer we de keuken binnen lopen? Kleine John.

'Dag schatje,' zegt mama. 'Wie heb je meegenomen?'

Ditmaal ben ik kalm en verstandig. Geen geschreeuw en gegil nu. In mijn eigen huis is het anders. Mama drinkt koffie met hem, alles is vredig, alles is normaal. De nachtmerries lijken nu ver weg. De waarheid lijkt nu haast ongelooflijk. Ze ziet eruit alsof ze een van haar betere dagen heeft. Ze is levendiger, meer zichzelf.

'Koffie, Simon?' vraag ik. Hij knikt: 'Gewoon een vriend van school,' zeg ik tegen mama. Ik zie Kleine John zijn wenkbrauwen optrekken maar hij zegt niets. Ik zet koffie voor ons en mama geeft Simon een stoel en vraagt hem dingen over school. Wat hem in verlegenheid brengt omdat hij in werkelijkheid helemaal niet naar mijn school gaat. Kleine John heeft de situatie door en lijkt zich geweldig te amuseren. Maar Simon is een goede leugenaar en weet de schijn op te houden, vooral doordat ik hem telkens onderbreek met bazige opmerkingen. We voeren zelfs een ruzie op over een denkbeeldige aardrijkskundeleraar. Wat ook helpt is dat het mama eigenlijk niet interesseert, dat ze haar aandacht er niet bij heeft. Vroeger zou ze meteen geweten hebben dat er iets niet in de haak was.

Ik heb niet alleen een vader verloren, besef ik. Ik ben ook mijn moeder kwijt.

Er heerst een ongemakkelijke stilte terwijl ik dit bedenk. Ik realiseer me plotseling dat mama met mij wil praten zonder dat Simon erbij is, en dat wij met haar willen praten zonder dat Kleine John erbij is. Ik vermoed dat hij haar een verhaal op de mouw heeft gespeld waaruit moet blijken dat ik ben ingestort, en dat ze me naar een therapeut willen sturen. Dat is een goed plan: overtuig de mensen ervan dat ik gek ben en dan luistert er niemand meer naar wat ik te zeggen heb.

'U hebt Simon al eerder ontmoet, oom John,' zeg ik opeens. Ik weet niet waarom. Misschien bén ik gek. Hij kijkt me met een bevreemde gelaatsuitdrukking aan. Hij is verbaasd. Hij kan voor zichzelf beredeneren waarom ik verzweeg wie Simon werkelijk was, iets wat hem waarschijnlijk goed uitkomt. Het geeft hem immers de kans mij als leugenachtig af te schilderen. Ik bedenk dat ik hem dat per se moet beletten. Ik bedenk dat ik moet zorgen dat er iets gebeurt. Ik ben niet opgewassen tegen deze wereld van schaduwen die zwijgend tegen me gebaren.

'U weet wel,' zei ik. 'Toen u hem in die schuur opsloot.'

'Charlotte...' begint hij, maar ik kap hem af. Ik ben nu opgeladen. Al ben ik in de hoek gedreven, ik ben dit keer op eigen terrein en ik zal me eruit vechten. Wat helpt is dat ik altijd een hekel aan hem heb gehad.

'U weet wel,' zeg ik. 'Die vervallen boerderijgebouwen, dicht bij waar papa is gestorven. U duwde hem in een schuur en sloot de deur af en reed weg en liet hem achter.' Simon zit krijtwit en nutteloos naast me. Mama staart me aan alsof ik aan het ijlen ben. In elk geval heb ik nu écht haar aandacht.

Kleine John schuift zijn stoel achteruit en staat op. Ik heb hem van streek gemaakt en hij weet niet wat te doen. 'Ik kom morgen wel terug,' zegt hij tegen mama. 'We moeten dringend het een en ander regelen.' En weg is hij.

Ik ga zitten, en tril opeens hevig.

'Neem een koekje, Simon,' zegt mama volmaakt beleefd en alsof er niets gebeurd is, en ze schuift de trommel over de tafel. Haar manieren blijven zelfs perfect wanneer ze in haar eigen wereld van verdriet vertoeft. Ik kan nu niet stoppen.

'Het is de waarheid,' zeg ik. 'Hij sloot hem op en reed weg. Of niet soms?' Simon knikt. Hij lijkt niet in staat om iets te zeggen maar zijn nekspieren lijken nog te werken.

Mama kijkt hem aan. Ze is prima in staat te geloven dat ik stapelgek ben en wartaal uitsla, maar Simon ziet er normaal en degelijk uit, precies het soort jongen dat moeders hun dochter graag mee naar huis zien nemen. 'Simon is Simon Lomond,' zeg ik en ik voel mama onmiddellijk naast me verstijven. Plotseling is hij helemaal niet meer de ideale jongen. Hij is de zoon van een moordenaar. De moordenaar van mijn vader.

'Zijn vader heeft het niet gedaan. We hebben bewijzen. Daarom moet jij naar de politie om te vertellen wat wij ontdekt hebben. Ons zouden ze niet geloven.' En dan vertel ik mama het hele verhaal en zie ondertussen dat Simons nekspieren het nog blijven doen, wat er ook met de rest van hem gebeurd is. Er valt een stilte wanneer ik klaar ben.

'John niet,' zegt mama. 'John niet. Dat kan ik niet geloven.'

'Waarom heeft hij Simon in de schuur opgesloten?'

Mama schudt met haar hoofd. 'Hij kan gewoon kwaad op Simon geweest zijn, hem een lesje hebben willen leren. Waarschijnlijk is hij tien minuten later teruggekomen. Het kan zijn land zijn. Ik weet het niet.'

'Hoe zit het met die nagemaakte taxi?'

'Daar hoeft hij helemaal niets mee te maken te hebben.'

'Dat is dan wel erg toevallig,' zeg ik, maar ik verlies de moed. Ze is niet bereid naar me te luisteren. Ik voel een steek van wroeging wanneer ik besef dat ik over haar heen ben gewalst. Ik herinner me hoezeer ik Simon haatte toen ik voor het eerst begreep wie hij was, toen ik nog geloofde dat zijn vader de moordenaar was. Het feit dat ik nu het gevoel heb dat hij de enige is die me begrijpt, en de enige met wie ik kan praten, wil nog niet zeggen dat mama meteen hetzelfde moet voelen. Ze gaat in elk geval niet regelrecht naar het politiebureau, zoals ik had verwacht.

'Ik zal het er met meneer Colworth over hebben wanneer ik hem volgende week zie,' zegt ze alsof ze een klein kind zijn zin geeft. Meneer Colworth is papa's juridisch adviseur, was papa's adviseur, is nu die van mama. Ik heb hem nooit ontmoet. Mama mag hem, zegt dat hij heel goed is, maar hij lijkt mij een adviseur van niks als er zoveel problemen met de zaak zijn.

'Volgende week!'

Ik sta vol afkeer op en wenk Simon dat hij me moet volgen. We lopen naar de achtertuin, gaan daar onder de appelboom zitten en zeggen niets. Om eerlijk te zijn schaam ik me voor mama. Ze heeft zich helemaal laten inpalmen door Kleine John, het gebruikelijke verhaal. Ze vindt mensen te snel aardig.

'Hij zal de auto weghalen,' zegt Simon plotseling. Het is het eerste dat hij na een eeuwigheid zegt. Het is een soort ik-heb-het-je-wel-gezegd, maar heel netjes gebracht.

'Hij heeft hem niet weggehaald nadat hij jou had opgesloten.'

'Misschien dacht hij dat ik de auto niet gezien had. Misschien stopte hij me daarom in de schuur. Toen ik ontsnapt was, ben ik als een gek weggerend en niet meer teruggegaan, dus dat werkte. Maar nu is hij vast bang dat we uiteindelijk iemand overtuigen.'

'Als hij de auto weghaalt, hebben we helemaal geen bewijs meer,' zeg ik.

'Jawel, dat hebben we wel!' roept Simon plotseling uit. 'Wat stom van me! Vlak voor hij me greep, heb ik foto's genomen.'

'Waar zijn die dan?'

Hij kijkt beteuterd. 'Bij de drogist. Mama heeft mijn camera uitgeleend aan mijn nichtje, degene bij wie we hebben gelogeerd. Ze gingen naar Cornwall en zij had haar camera op een schoolreisje verloren en toen zei mama dat ik haar de mijne moest lenen als een soort bedankje omdat we bij hen mochten blijven. Ik heb het rolletje eruit gehaald en weggebracht om het te laten ontwikkelen, maar toen zei mama opeens dat we naar huis gingen waarna ik er helemaal niet meer aan heb gedacht. Ik moet ze gaan halen.'

'Ik heb een camera,' zeg ik. 'We gaan terug en nemen nog wat foto's en laten die bij de één-uurservice ontwikkelen en als er dan niemand luistert, kunnen we ze anoniem naar de politie sturen.'

Ik klink dapperder dan ik me voel. Ik krijg het al koud als ik aan die plek denk, vooral nu Kleine John weet dat we hem in de gaten hebben. Maar er is geen alternatief. Ik moet iets doen. Simon kijkt ook niet al te blij. 'Ik zie je morgenochtend,' zegt hij.

'Dat is te laat,' zeg ik. 'Als hij de auto weghaalt, zal hij dat in het donker willen doen. Dat is dus vanavond. Overdag zal hij het niet riskeren.' Op dat moment krijg ik mijn afgrijselijke idee. 'We moeten daar zijn als het donker is. Dan kunnen we hem achter het stuur fotograferen, met flits. Hij zal verrast en verblind zijn, zodat we tijd hebben om de heuvel op te rennen...'

De woorden zijn mijn mond nog niet uit of ik had ze weer willen inslikken. Ze zijn te waar om te negeren, maar veel te gevaarlijk.

# 15
# Simon

Ik wist dat we aan een krankzinnige, gevaarlijke, zinloze onderneming begonnen. Ik hoorde mama's vermanende stem al in mijn hoofd voordat we nog maar iets gedaan hadden. Het weer was de hele dag al broeierig geweest en was nu regelrecht drukkend. We hadden een storm nodig om de lucht te zuiveren. Het was echt nodig dat de lucht werd gezuiverd.

Ik had Charley weten over te halen tot een voorzorgsmaatregel: we zouden allebei op een briefje schrijven waar we waren en dat op ons bed neerleggen. Ik had gezegd dat het niet eerlijk was om zomaar te verdwijnen (misschien voorgoed, dacht ik, maar dat zei ik niet) en dat we behoorlijk in de knoei zouden zitten als het uitkwam en dat het achterlaten van een briefje in ons voordeel zou pleiten. Ze was bang dat haar moeder een kijkje bij haar zou nemen, het te vroeg zou vinden en ons gillend achterna kwam rennen. Ik hoopte daar eigenlijk op, maar dat zei ik niet.

We fietsten er in de schemering heen, via onze nieuwe route. Tegen de tijd dat we het ruiterpad bereikten was het bijna donker, onder een dichte grijze zomerhemel. In de verte flakkerde het weerlicht en rommelde de donder en het gewicht van de lucht drukte zwaar op ons terwijl we de heuvel op fietsten. We stonden lang op de top uit te hijgen om het moment uit te stellen dat we door de hoge zwarte begroeiing omlaag moesten lopen, naar de boerderij.

Plotseling kliefde een felle bliksemschicht de hemel en het hele landschap lichtte op. Ik telde automatisch: tien. Charley gaf een ruk aan mijn arm en liep het overwoekerde pad af. Het was donker na die verblindende flits, en de planten graaiden naar mijn voeten en probeerden me te laten struikelen. Ik wilde met mijn zaklamp bijlichten maar was bevreesd voor spiedende ogen in het duister daarbeneden. Het scheen me toe dat we genoeg geluid maakten om iedereen die daar zat te waarschuwen en ik probeerde stiller te lopen, maar dat vertraagde me en Charley verdween in het duister voor me. Ik rende een paar passen om haar bij te halen, struikelde en viel.

Een volgende heldere schicht verlichtte de wereld. Ik zag Charley staan, een zwarte gestalte tegen de kortstondige gloed. De slag kwam dit keer na vijf tellen en er viel een dikke regendruppel op mijn gezicht. 'Kom op!' riep ze dwingend.

We strompelden het pad omlaag. Meer bliksem, de donderslagen harder en dichterbij, de zware druppels groeiden aan tot regen. De grond werd glibberig en we renden en gleden naar de tourniquet. We hadden zoveel vaart dat we rechtstreeks in de dichtstbijzijnde schuur belandden. Zijn zwarte mond slokte ons op. We stonden te hijgen en hoorden hoe het water met bakken uit de hemel kwam en luider dan de donder op het golfplatendak boven ons roffelde. Het was plotseling koud en ik rilde in mijn natte kleren.

Charley rommelde in haar rugzak. Ze pakte er een chocoladereep uit en gaf me een deel ervan. Ze zei wat, maar ik kon niets verstaan door het geweld van de regen. Ze gaf opnieuw een ruk aan mijn arm en wees. De bliksem verlichtte het erf. De schuur waarin de auto verborgen was, was die naast de onze. Ze leek te willen zeggen dat we daarheen moesten gaan. Ik schudde van nee. We zouden op weg daarheen zowat verdrinken, en vermoord worden als iemand ons daar stond op te wachten. Ze trok aan me terwijl ik me schrap zette, tot ze opeens losliet. Voordat ik wist wat er gebeurde, rende ze als een gek door het vallende water.

Ik vloekte. Ik vond het onverdraaglijk om hier alleen achter te blijven en ik denk dat zij dat wist. Tijdens een luwte in de stortbui haalde ik diep adem en begon te rennen. Het was alsof je door een kolkende rivier worstelde. Ik rende de schuur in, knalde tegen een hard voorwerp, viel en rolde over de betonnen vloer. Een flits verlichtte de wereld en ogenblikkelijk volgde een donderslag die het hele gebouw op zijn grondvesten deed schudden. Mijn hoofd tolde alsof ik een klap had gekregen.

Charley leek bezeten te worden door de razernij van de storm. Ze danste en krijste in de deuropening, trotseerde de storm met haar eigen woestheid. De bliksem zorgde voor een moment van helderheid en alles tekende zich scherp af, waarna de duisternis weer viel en een intens nabeeld mijn oogbollen leek te verschroeien.

In een van die zwarte flarden zag ik een paar wazige koplampen in de verte naderen.

Ik pakte Charley vast, bracht haar tot bedaren en wees. Precies op dat moment nam de regen af en de lampen staarden ons recht aan, als de kwaadaardige ogen van een beest dat ons in dit land van duisternis achtervolgde.

Charley gilde, eerder triomfantelijk dan van angst. 'We hebben hem! We hebben hem!'

We stonden in het centrum van de storm, naast het belangrijkste bewijsstuk in een moordzaak, de moordenaar van haar vader kwam op ons af en, en... Charley juichte!

De regen nam weer in hevigheid toe. Ik sjorde aan haar. 'We moeten ons verbergen!'

Bij de volgende flits zag ik haar gezicht, op slechts centimeters afstand van het mijne. Haar ogen schitterden met een wilde opwinding. 'In de auto,' schreeuwde ze terug en ze trok me erheen. Ik verloor mijn evenwicht en strompelde achter haar aan. We tuimelden tegen de auto en ik hoorde hoe ze naar de deurklink zocht.

'Nee! Nee! De sleuteltjes, de sleuteltjes!' Het zou waanzin zijn om ons in de auto te verstoppen. Ik vond op de tast het portier aan de bestuurderskant, opende dat en pakte de sleuteltjes eruit. De witte bundel van de koplampen scheen voorbij de ingang van de schuur. Bij de volgende bliksemflits zag ik een oude aanhangwagen in de hoek en ik duwde Charley ernaartoe. We gingen er gehukt achter zitten terwijl de koplampen als een zoeklicht heen en weer zwiepten en toen recht naar binnen schenen.

Autodeuren sloegen dicht en de zwarte silhouetten van twee mannen tekenden zich af in het licht van de koplampen. Twee lange mannen. Ik hoorde Charley naar adem happen, greep haar hand en hield die stevig vast. Niet Kleine John, zoals ze had verwacht, zoals ik had verwacht. Een 'vriend' van de familie was één ding; twee vreemdelingen wel even iets anders. Ik kromp ineen en hoopte dat ik goed verborgen was, maar ondanks mijn angst móést ik kijken.

De mannen liepen tussen ons en de auto. Een van hen opende het portier. 'Waar zijn de sleuteltjes? Je zei toch dat je ze erin had laten zitten?'

De andere man ging voor hem langs en boog zich voorover. 'Ik heb ze hier gelaten. Dat weet ik zeker.'

'Nu zijn ze er niet meer.'

'Dat zie ik ook wel. Er is iemand hier geweest. Kinderen misschien.'

'Als hier kinderen zijn geweest...' zei de eerste man. Hij werd onderbroken door een harde donderslag en sprak verder toen die was uitgerommeld. 'Als hier kinderen zijn geweest, vertellen ze het misschien door, al is het maar aan hun vriendjes. Dadelijk raakt het bekend. We kunnen er beter de brand in steken. Hem gaan slepen is te gevaarlijk.'

Ik greep Charleys hand harder vast. We hadden in de auto kunnen zitten als we haar zin gedaan hadden.

'We kunnen beter eerst de auto wegzetten,' zei de tweede man. 'Wie weet ontploft de hele boel.'

Ze liepen terug, opnieuw zwart afgetekend tegen de lichtbundel van de koplampen.

'We moeten hier weg,' fluisterde ik Charley in het oor. 'Kun jij autorijden?'

'Ja, een beetje wel. Papa heeft me les gegeven.'

'We moeten die auto zien mee te nemen.' Ik keek haar

aan, in het licht van de wegzwenkende koplampen. 'Het is het enige bewijs dat we hebben,' zei ze. 'Als ze hem verbranden, is er geen hoop meer voor je vader. Vooruit, we moeten nú gaan. Vooruit!' en ze trok wild aan me.

De sleuteltjes zaten in mijn hand. De storm raasde om ons heen. Ik was banger dan ooit.

# 16
# Charley

Ik ben banger dan ooit wanneer ik in de auto stap. Wat als hij niet start? Wat als Simon ergens tegenop botst? Ik sla de deur met een klap dicht en doe hem op slot. 'Doe je deur op slot!' gil ik tegen hem. Ik weet niet of hij heeft geluisterd. Hij friemelt met de sleuteltjes bij het contact. Het duurt eeuwen en ik tril hevig maar het lukt me toch niets te zeggen.

Met een brul slaat de motor bij de eerste poging aan. 'Dank U, God,' zeg ik en dan schokt de auto naar voren. Simon vloekt. 'Wat is de achteruit, wat is de achteruit?' Plotseling heeft hij de auto in de achteruit en we belandden met een ruk achter in de schuur, tegen een stapel rotzooi, maar de donder overstemt het geluid dat we maken. 'Het licht!' schreeuwt hij. De auto schiet met een snerpend geraas naar voren en de lampen gaan aan en dan snellen we recht op de twee mannen af die op de weg voor ons staan.

Ik duw hard met mijn voeten op de vloer en Simon doet blijkbaar hetzelfde want de auto gaat harder en brult als een dol geworden dier en de mannen springen weg en we rammen tegen een hekpaal, stuiteren tegen de haag aan de overzijde, knallen van daaraf tegen de zijkant van hun auto en dan hotsen we over het boerderijspoor.

Ik kijk achter me. Ik kan niets zien. Het is alsof we ons in een duikklok onder water bevinden: zwartheid en natheid omringen ons. Vallend water licht op in de straal van onze koplampen. Zelfs de storm klinkt verder weg, een dof gerommel. We zijn alleen.

Maar lang zal dat niet duren. De mannen zullen in hun auto springen, keren en ons vaardig achterna rijden. Wij daarentegen komen slechts knarsend en moeizaam vooruit op het spoor. We lijken ons met veel kabaal op weg naar niets te begeven.

'Je moet schakelen!' roep ik. Hij negeert me. Misschien komt mijn stem niet boven het geloei van de motor uit.

Ik tuur achter me maar zie niets. Misschien hebben we het portier verwrongen toen we tegen hun auto botsten. Misschien besluipen ze ons met gedoofde lichten, volgen ze de kleine rode ogen achter op onze auto, klaar om toe te slaan. Wanneer Simon vervolgens probeert te schakelen en vaart mindert...

Plotseling doemt er recht voor ons een heg op. In een flits van paniek denk ik dat Simon naar de zijkant is gereden, dan besef ik dat we bij de weg zijn. 'Naar links!' schreeuw ik en hij slaat linksaf. Ik weet niet of hij gekeken heeft of er iets aankwam maar er botst niets tegen ons op en we bevinden ons nog steeds in onze geïsoleerde onderwaterwereld.

Links achter me in de verte zie ik licht. De koplampen van hun auto. Ze zitten achter ons aan. Het is Simon gelukt om te schakelen en de auto krijst niet langer in doodsnood, zodat ik een miniem beetje kalmeer en min of meer begin na te denken. Wat ik feitelijk dóé, is tegen Simon schreeuwen.

'Harder! Ze komen eraan!'

'Het helpt niet als ik harder ga rijden,' zegt hij verrassend kalm. 'Ik kan niet harder rijden dan zij. Als ik dat doe, rijd ik ons te pletter.'

We komen bij de kruising met de hoofdweg, de weg waarop papa is doodgegaan. De omgeving hier is in mijn geheugen gegrift en plotseling weet ik wat we moeten doen.

'Doe de lichten uit en sla linksaf. Er komt nu snel een poort aan de rechterkant. Daar! Stop! Laat de lichten uit terwijl ik de poort openmaak.'

Simon gehoorzaamt als een robot. Gelukkig gaat de poort gemakkelijk open. Ik gebaar verwoed naar Simon en hij manoeuvreert de auto erdoor. 'Voorbij de haag en dan naar links,' fluister ik, bizar genoeg nog steeds bang dat iemand me hoort. Hij stopt en stapt uit terwijl ik de poort sluit. Hij beeft van top tot teen en leunt tegen de auto. Ik pak zijn hand en leidt hem een stukje verder langs de haag.

Koplampen. Gierende banden in de bocht. Een auto scheurt ons voorbij. Ik merk dat ik mijn adem heb ingehouden en laat die ontsnappen. Dan een auto – dezelfde auto? – in de tegenovergestelde richting.

'We hebben ze verslagen!' zeg ik en omhels Simon.

'Maar wat doen we nu? We moeten naar huis. En in het daglicht zullen ze de auto ontdekken.'

'We zetten hem terug,' zeg ik. Plotseling ben ik geniaal. 'Dat is de enige plek waar ze hem niet zullen zoeken. We zetten hem terug in de schuur, fietsen naar huis en dan regelen we het morgen allemaal wel.'

'En als ze terugkomen wanneer we op de weg zijn?'

'Als, als...' zeg ik. 'Laten we het nu maar meteen doen.' En ik loop naar de poort en open die. Ik wil niet dat hij erover na gaat denken en verlamd raakt. Ik gebaar ferm in zijn richting en dat lijkt te werken, want de auto schiet naar achter en maakt dan een wijde bocht. Hij rijdt door de poort, waarna ik die sluit en in de auto stap. Hij staart voor zich uit, de handen om het stuur geklemd.

'Linksaf slaan,' zeg ik resoluut, alsof er geen alternatief is. Ik besef, en naar ik vermoed hij ook, dat we ook gewoon kunnen uitstappen en op onze fietsen naar huis rijden. Maar daar zou het niet mee afgelopen zijn.

De auto slingert in het donker voort. 'Doe de lichten aan!' schreeuw ik. Hij tast rond en de ruitenwissers zoeven over het glas, maar dan baadt de weg in het licht. Hij schakelt deze keer soepeler, en al snel, veel te snel, hobbelen we weer over het boerderijspoor. Dit is het gevaarlijke punt. Zijn die mannen ook teruggegaan? Hebben ze zich ergens opgesteld waar ze onze lampen kunnen zien, en komen ze nu achter ons aan geslopen?

Van de zenuwen zit ik overal aan, open het handschoenenkastje en friemel in het deurvak. Ze bevatten allebei niets. De auto is leeggeruimd. Vermoedelijk is hij ook van alle vingerdrukken ontdaan – waarvoor de onze in de plaats zijn gekomen, bedenk ik in een vlaag van paniek. Ik voel onder mijn stoel en mijn vingers voelen de rand van een vel papier. Ik reik dieper en haal het eruit. Het is een blaadje dat uit een schrijfblok is gescheurd. Er is op geschreven maar het is zo donker dat ik geen woord kan lezen en daarom stop ik het maar in mijn zak.

De koplampen beschijnen een leeg erf. Simon rijdt behoedzaam terug de schuur in, terug naar waar we begonnen zijn, en zet de motor uit. Hij blijft achter het stuur zitten.

'Pak de sleuteltjes,' zeg ik. Dan hebben we tenminste nog een soort bewijs als ze de auto alsnog in brand steken. Hij pakt ze langzaam, heel langzaam uit het contact, en ik stap aan mijn kant uit, loop om de auto heen en open het portier voor hem. 'Kom mee,' zeg ik, 'het is hier niet gezond.'

Hij stapt wankelend uit de auto en ik pak zijn arm en trek hem het erf op. We zijn nog niet in veiligheid. Ik weet hem over het erf en op het pad te krijgen. Het is hier nu werkelijk kleddernat na de storm en ik ben al snel doorweekt tot boven mijn knieën en sop in mijn gympen. Simon lijkt er weer door tot leven te komen en hij stapt sneller en sneller de heuvel omhoog. Ik probeer uit alle macht hem bij te houden terwijl de planten naar me lijken te graaien en de haag me met zijn takken probeert te verwonden.

'Wacht op me!' schreeuw ik maar hij reageert niet, lijkt eerder sneller te gaan en dan wordt het me allemaal te veel en ik begin te huilen van vermoeidheid en frustratie. Het is een nachtmerrie, deze worsteling in de nattigheid en het donker, waarbij ik niet vooruit lijk te komen en Simon steeds verder voorop raakt. Ik wil me in een greppel oprollen en daar wachten tot ik weer ontwaak, maar met mijn hoofd omlaag gewend ploeter ik in mijn eigen tempo door.

En dan ben ik op de top waar Simon met de fietsen

klaarstaat en ik ben zo opgelucht dat ik zomaar tegen hem aan val en hem huilend vastpak. Ik merk dat hij zich geen raad weet, stijf blijft staan, met de fietsen in de hand en niet weet wat hij moet zeggen. Ik ga rechtop staan, veeg mijn neus af aan mijn mouw en zeg: 'Sorry. Het gaat wel weer,' waarna ik mijn fiets van hem overneem.

'Geeft niks,' zegt hij, en we laten ons over het pad naar beneden rollen, tot op de grote weg.

Over het pad naar beneden, recht in de armen van Kleine John.

# 17
# Simon

Het was een schok te veel. Papa gearresteerd. Achtervolgd op de weg. Een autorace tijdens een onweersbui. En nu rolde ik in het donker van een heuvel omlaag om daar te worden opgewacht door de man voor wie ik op de vlucht was – dat kon niet waar zijn. Het was allemaal een nachtmerrie, in scène gezet, een 1-aprilgrap. Niemand zou dit kunnen geloven of serieus nemen. Niemand. Ik in elk geval niet.

Ik reed Charley voorbij, remde, plantte mijn voeten op de grond en lachte. Dat ergerde hem en hij begon tegen me te schreeuwen, waardoor ik alleen maar harder moest lachen.

Hij liep in twee passen naar me toe, pakte mijn handvatten en schudde er wild aan. 'Kop dicht!' riep hij recht in mijn gezicht. Ik gehoorzaamde, plotseling verstijfd van angst. Hij bleef de handvatten vasthouden en leunde langs me. Hij sprak nu met lage stem, langzaam en nadrukkelijk:

'Charlotte, wat ben je in hemelsnaam aan het doen? Je moeder is buiten zichzelf van ongerustheid. Hoe haal je het in je hoofd om midden in de nacht op pad te gaan, terwijl je moeder het toch al zo moeilijk heeft, samen met de zoon van de moordenaar van je vader?'

Zijn woorden verscheurden de stilte van de nacht als een donderslag. Ze accentueerden het troosteloze landschap dat ons omgaf: onze vaders dood of opgesloten, ons leven verwoest. En verder niets dan leegte.

'Gelukkig had je nog het benul om op een briefje te schrijven waar jullie heen gingen,' zei hij. 'En nu breng ik je naar huis. Doe je fiets op slot, dan halen we die morgen wel op; ik zal dan mijn rek meenemen voor je fiets, dat bespaart je de rit terug.'

Zijn adem streek langs mijn oor terwijl hij sprak. Zijn stem hield me sterker in zijn greep dan zijn handen op mijn fiets. De zwarte nacht zonderde ons af van de rest van de wereld.

'Ik ga niet met u mee.'

Ik wilde mijn hoofd omdraaien om Charley een bemoedigende blik toe te zenden, maar het hoofd van die man was zo dicht bij het mijne dat ik me niet naar haar kon richten.

'Doe nou niet weer zo dwaas, lieve meid,' zei hij, ditmaal op wat scherpere toon. 'Je kent me toch, je hele leven lang al?'

'En ik haat u net zo lang.'

Daarop deinsde hij terug, zodat ik me kon omdraaien en haar over mijn schouder aankijken. Ze was afgestapt en hield haar fiets op armlengte voor haar, klaar om die te laten vallen en terug de heuvel op te rennen. Ik stapte af en deed hetzelfde. Ik wilde niet alleen met die man achterblijven.

'Je hebt toch niet nog steeds dat idiote idee dat ík erachter zit? Ik dacht dat je dat uit je hoofd had gezet. Goeie genade, je vader was mijn vriend!'

'Waarom hebt u dan de bandensporen uitgewist? Waarom sloop u bij de boerderij rond? Waarom hebt u hem in de schuur opgesloten?' De vragen buitelden uit haar alsof ze in haar mond hadden staan te popelen, wachtend op het juiste moment. Ik stond daar tussen hen in, zonder deel te nemen aan deze persoonlijke vete.

Er heerste een stilte, een gespannen stilte.

'Jullie kinderen,' zei de man, 'jullie denken dat volwassenen volmaakt zijn.'

Daar moest Charley om lachen. 'Denk ík dat u volmaakt bent?'

'Dat bedoelde ik niet. Ik bedoelde niet: goed. Ik bedoelde dat jullie denken dat volwassenen altijd weten wat ze doen, altijd weloverwogen handelen. Dat is niet zo. Het wordt er niet gemakkelijker op wanneer je volwassen bent, weet je. Soms raak je in paniek. Je doet dingen die dom zijn, dat weet je terwijl je ze doet, maar je kunt jezelf niet tegenhouden.'

Probeerde hij te zeggen dat hij Charleys vader heeft gedood? Per ongeluk?

'Ik ben de afgelopen weken door een hel gegaan. Ik heb me dom gedragen; ik heb gefaald. Dat besef ik. Hoor eens, ik zal alles uitleggen wanneer ik je thuis heb gebracht, bij je moeder. Dan vertel ik jullie twee alles.'

'Ik ga niet met u mee. Gaat u mama maar vertellen dat alles goed met me is en dat ik naar huis kom. Simon blijft bij me. Ze hoeft zich niet ongerust te maken.'

'Met de auto gaat het veel sneller. En veiliger.'

'Ik stap niet in uw auto,' zei ze. 'Wij fietsen wel achter u aan.'

'Ik zal haar met mijn mobieltje bellen. Praat dan met haar en luister wat zij zegt. Ze zal je zeggen dat je met mij mee moet komen.'

'Belt u haar maar. Zeg haar dat ik in orde ben. Zeg haar dat ik met Simon terugkom. Als u nu niet weggaat, ga ik de heuvel weer op en dan weet u helemaal niet waar ik ben.'

De man draaide zich om, stapte in zijn auto, sloeg de deur met een klap dicht en reed weg, waarna wij vermoeid en zonder iets te zeggen terug naar Charleys huis fietsten.

'Kom morgen om elf uur langs,' zei ze. 'Dan praten we met mama.' Ze liep haar huis binnen en ik zag hoe haar moeder haar armen spreidde en haar omhelsde. Ik zag hoeveel Charley op haar moeder leek, behalve dan dat haar moeder het had opgegeven en Charley doorvocht. Ik ging naar huis en kroop terug in bed zonder dat mijn moeder te weten kwam dat ik weg was geweest. Als ze me had opgewacht, zou ik haar alles hebben verteld, zoals we hadden afgesproken, maar toen we de volgende ochtend aan het ontbijt zaten kon ik het niet over mijn hart verkrijgen haar broze opgewektheid te verstoren en deed ik alsof ik gewoon naar school ging. Mijn leven was een mengsel van totale lafheid en ongelooflijke overmoed geworden. Ikzelf kan in elk geval nog steeds niet geloven wat ik, we, vervolgens deden; het moet iemand anders zijn geweest.

Ik leek op een konijn op de weg in het donker. Mijn hele leven lang had de liefde van mijn ouders als koplampen op me geschenen en me verstard op mijn plaats gehouden. Plotseling was het licht uitgegaan en bevond ik me in het donker. Geen wonder dat ik in wanordelijke cirkels rondrende.

Ik hield me tot vlak voor elf uur schuil en ging toen naar Charleys huis. Ze moet me in de tuin hebben opgewacht, want ik was de hoek nog niet omgeslagen of ze kwam heimelijk op me af.

'We gaan een kijkje nemen bij hem thuis,' zei ze. Ik staarde haar aan. 'Hij is net bij ons aangekomen maar hij weet niet waar ik ben. Voorlopig blijft hij daar wel. Kom mee!'

Ik volgde haar.

Achteraf denk ik dat dit het moment was waarop ons gedrag de grens van behoorlijk stom naar volslagen krankzinnig overschreed. Ik kan het niet verklaren. Nu krijg ik het Spaans benauwd van wat we toen deden. Op dat moment had ik gewoon het gevoel alsof ik door een reusachtige golf werd meegevoerd en op het strand geworpen, daar even lag te proesten en te spartelen, en vervolgens hoe hard ik ook tegenstribbelde weer de zee in werd gezogen, keer op keer.

Ik volgde haar. Ze had haar fiets om de hoek staan en even later ging ze me voor, waarbij ze zich zó concentreerde dat het leek alsof ze haar weg zocht door een labyrint dat ze bijna van buiten kende. Ze stopte bij een huis dat eruitzag als elk ander huis, en belde aan.

'Hallo tante Margaret,' zei ze tegen de alledaags ogende vrouw die de deur opendeed. 'Oom John heeft ons gestuurd om het notitieboek te halen dat op zijn bureau ligt. Hij heeft het nodig voor iets dat hij met mama aan het regelen is. Dit is mijn vriend Simon.' Ze deed een stap naar voren om een kus in ontvangst te nemen.

‘Dag meisje, hoe is het met je? Hoe maakt je moeder het? Dag Simon, leuk je te ontmoeten. Goed, laten we maar even kijken. Raar dat John zoiets vergeet, dat gebeurt bijna nooit. Je hebt trouwens geluk dat je me treft; ik wilde net weggaan.’

‘Hij heeft zoveel om handen,’ zei Charley. ‘Ik zou niet weten wat we zonder hem moesten.’ Ik staarde haar aan. ‘U hebt het vast druk. Oom John heeft me precies verteld waar het ligt. Ik ben zo terug. Praat u anders met Simon. Vraag hem over zijn hond, daar kan hij de leukste dingen over vertellen.’ En ze stoof de gang door naar een kamer achter in het huis, en liet mij met open mond achter. We hebben geen hond. Mama heeft een hekel aan honden.

Gelukkig wilde mevrouw Kleine John niet over honden praten, of in elk geval wilde ze niet dat ik over ze sprak. Ze wilde het over Charley hebben: wat dapper, hoe triest, die vreselijke man, wie deed er nou zoiets? Ik besefte plotseling dat ze over mijn vader sprak, maar eigenlijk was dat helemaal niet zo. Ze had het over een man uit de krant, een heel ander iemand, die ik niet kende.

Charley kwam terug, en stak iets in haar zak. ‘Bedankt, tante. We moeten vliegen. Dag! Kom mee, Simon,’ en ze duwde me de deur uit.

Toen we de eerste hoek om waren, stopte ze. ‘We wachten hier tot ze weggaat. Ik heb een raamsluiting opengemaakt. Zodra ze uit zicht is, gaan we naar binnen.’

‘Waarom?’

‘Om het bewijs te vinden, sufkop. Daar is ze. Blijf zitten en verroer je niet!’

We waren allebei krankzinnig.

# 18
# Charley

Mevrouw John rijdt weg in haar Fiatje. Zo noem ik haar altijd bij mezelf, hoewel dat eigenlijk onrechtvaardig is omdat zíj onschuldig is, in tegenstelling tot haar gluiperige echtgenoot. 'Kom mee,' zeg ik. We steken de straat over, lopen hun voortuin in en proberen daarbij zo onschuldig mogelijk te kijken. Ik verwacht dat Simon gaat klagen en over gevaar en overtredingen begint te mekkeren, maar hij loopt als een lammetje achter me aan.

Met Simon in mijn kielzog verken ik de zijkant van het huis en stop halverwege. Ik trek hem voor de helft een seringenstruik in. De sterke geur van de bloemen lijkt ons te verbergen. We staan recht tegenover het raam van Kleine Johns kantoor. Ik speur in het rond, beducht voor nieuwsgierige ogen achter de buurtvensters, maar de sering schermt evenzeer hen van mij af als mij van hen.

'Wacht hier op me!' fluister ik, en besef dan dat zacht praten helemaal niet nodig is. 'Wacht hier op me,' zeg ik op normale toon en voel me onmiddellijk minder angstig. 'Ik ga het raam openmaken. Houd jij hier een oogje in het zeil.'

Eerst moet ik een bloembed door. Ik probeer niet op de planten te trappen. Ik wurm mijn vingernagels in de voeg en duw voorzichtig. Geluidloos draait het raam open. Ik steek een hand uit, pak de vensterbank vast en trek mezelf de kamer binnen. Ik blijf roerloos staan en luister. Ik hoor niets. Ik leun uit het raam en wenk Simon. Hij schuifelt naar voren.

'Zou het niet beter zijn als ik hier op de uitkijk blijf?' zegt hij. Ik denk daarover na. Ik kan zien dat hij bang is – ik ben zelf bang – en het huis niet wil binnengaan. Misschien is het nog niet zo'n slecht idee als hij op de uitkijk blijft. Maar als iemand hem zo verdekt opgesteld in de tuin ziet staan, maakt dat een heel verdachte indruk. De Johns hebben geen kinderen, en hij hoort bovendien op school te zijn. Net als ik.

'Kom naar binnen, uit het zicht,' zegt ik resoluut en help hem naar binnen te klimmen. We staan meteen naast het bureau van Kleine John, naast de stoel. Ik voel me plotseling slap in de benen en ga zitten. Vanuit het raam valt het licht over mijn rechterschouder, op de aanbevolen manier. Alles op de correcte manier, dat is Kleine John ten voeten uit. Althans, zo zou het licht binnenkomen indien Simon niet in de weg stond. 'Ga uit het licht staan,' zeg ik, waarop hij naar de stellingkast achter me loopt.

Het bureau is netjes opgeruimd. Telefoon, antwoordapparaat/fax, computer en printer, pennenhouder, een agenda van één blaadje per dag. Ik sta op het punt de laden te doorzoeken wanneer ik plotseling verstar. De agenda. Ik heb een vage herinnering aan een agendablaadje. Ik trek het boek naar me toe en sla het open bij het leeslint. Een lijst met boekingen. Precies zoals papa die bijhield. Tranen prikken in mijn ogen en ik blader terug terwijl ik de herinnering die me dwarszit probeer op te helderen. Ik haast me voorbij de dag dat papa werd gedood en dan zie ik het opeens.

Een rafelige rand. Er is een bladzijde uitgescheurd. En ik weet waar die bladzijde is. Ik steek mijn hand in mijn broekzak en haal het velletje papier te voorschijn dat ik gisteravond onder de stoel van die neptaxi heb gevonden. Ik vouw het open; strijk het glad. Een bladzijde uit een agenda. Langzaam leg ik hem op het boek. Datum, rafelige rand, handschrift – twee handschriften – alles komt overeen. De reserveringen in keurig handschrift, telefonisch aangenomen door mevrouw John. Een krabbel in de pocherige machostijl van Kleine John:

WOENSDAG 7 MEI

*8:30 Davey, Fairfield Close 13: station*
*9:15 Corben, Stoneham Street 53: Thorney*
*11:00 Hall, Deanfield Avenue 39: station*
*11:33 Heapy vanaf station*

*VOOR DEZE MIDDAG GEEN RESERVERINGEN AANNEMEN*
***22:30 Thorney, naar Grafton***

'Hebbes!' zeg ik. 'We hebben hem!'

Het licht valt weg. Simon is weer tussen mij en het raam gaan staan. 'Ga van het raam vandaan,' zeg ik vinnig.

'Het is anders mijn raam.'

Kleine John. Hij staat buiten, direct voor het raam, en kijkt toe hoe ik de bladzijde terug in de agenda voeg.

'Wat ben je aan het doen?' vraagt hij zoetsappig.

'Tante Margaret,' zeg ik, wanhopig nadenkend.

'Ja?'

'Ze is net weggegaan. Ze komt zo terug. Ze vroeg me of ik haar wilde helpen met afstoffen.' Terwijl ik het zeg hoor ik hoe idioot het klinkt. Waar is mijn stofdoek? Wat doet Simon hier? Ik sla de agenda dicht en schuif die naar de rand van het bureau, zo ver mogelijk van het raam vandaan.

'Kijk eens aan,' zegt hij. 'Maar waarom heeft ze dan het inbraakalarm aangezet toen ze wegging?'

'Inbraakalarm?' herhaal ik suf. 'We hebben helemaal geen alarm gehoord.' Waarmee ik mezelf verraad.

'Niet een van die herriedingen waarmee je alleen je buren ergert,' zegt hij en hij houdt zijn mobiele telefoon omhoog. 'Ons alarm belt mij op en dan ga ik naar huis om polshoogte te nemen en dan zie ik mijn kantoorraam wijd openstaan en jou aan mijn bureau zitten samen met je verdachte vriendje en dan moet ik geloven dat jij hier stóf afnéémt.'

Ik zwijg. Er valt niets te zeggen.

'Waag het niet ervandoor te gaan,' zegt hij. 'Ik weet waar

je woont, zoals ze zeggen. Ik loop om en schakel het alarm uit en dan gaan we eens even met elkaar praten. Oké?'

Ik herwin mijn stem. 'Wij komen wel naar buiten,' zeg ik. Ik zie het niet zitten om met hem in een huis te zijn. Met een moordenaar.

Hij kijkt me een poosje onderzoekend aan. 'Mij best. Ik wil je niets opdringen. Maar ik had liever niet dat jullie uit het raam klimmen en de verf beschadigen. Ik heb daarbinnen pas geschilderd. Loop maar door de achterdeur naar buiten en ga op de bank in de tuin zitten. Ik neem de voordeur en zet het alarm uit. Dan zet ik een lekker kopje koffie voor ons allemaal en kom ik bij jullie zitten.'

'Goed,' zeg ik. Veel keus heb ik niet. Hij kijkt me opnieuw aan, draait zich dan om en loopt weg. Simon slaakt een diepe zucht. Ik sla de agenda weer open en pak de eruit gescheurde bladzijde. Ik overhandig die aan Simon. 'Stop dit in je zak,' zeg ik. 'Als het moet, ga je ervandoor. Nou, laten we dat lekkere kopje koffie maar gaan drinken dat hij voor ons aan het zetten is. Hopelijk zit er geen onkruidverdelger in.'

De koffie smaakt volstrekt normaal, hoewel ik geen idee heb hoe onkruidverdelger smaakt. Ik heb alle waakzaamheid nu laten varen. Simon en ik zitten naast elkaar op zijn tuinbank en Kleine John zit op een ligstoel tegenover ons. Het meubel brengt hem niet in de meest voordelige positie, zoals hij lijkt te beseffen. Het is bedoeld om ontspannen achterover te leunen.

'Kaarten op tafel,' zegt hij.

'U eerst,' antwoord ik, en klem mijn mond stijf dicht.

'Ik heb je vader niet vermoord, Charlotte,' zegt hij. 'Op mijn woord. Maar ik ben gebruikt, in een complot. En Simons vader was er ook bij betrokken, dat is zeker.'

'Gebruikt?' zeg ik.

Tot mijn afgrijzen barst hij in tranen uit; ineengekrompen op zijn stomme gestreepte ligstoel zit hij te huilen. Ik voel me misselijk.

Wanneer hij begint te praten, is het moeilijk om een lijn te ontdekken in wat hij zegt: verbrokkelde zinnen afgewisseld met een koor van gesnik en gesnuif. Uiteindelijk kalmeert hij en wordt zijn verhaal heel duidelijk. Ik laat het hem tweemaal herhalen, vooral omdat ik het gewoon niet kan geloven. Dan zegt hij: 'Blijf hier wachten!' en loopt het huis in.

'Geloof jij hem?' vraagt Simon.

'Ik weet het niet,' zeg ik. 'Ik weet het echt niet.'

Zo zitten we daar een paar minuten, tot Kleine John weer naar buiten komt. 'Ik heb dit gisteravond geschreven,' zegt hij. 'Ik heb een exemplaar voor je uitgeprint. Het spijt me zo verschrikkelijk wat er gebeurd is. Ik voel me zo schuldig, maar ik wil niet naar de politie, niet terechtstaan en dan naar de gevangenis. Ik breng mezelf nog liever om.'

'Hoe zit het met Simons vader?' vraag ik de drilpudding.

'Het spijt me,' herhaalt hij op die onnozele manier. 'Als hij erbij betrokken is, zit hij in de problemen. Zo niet, dan wordt hij ten slotte wel van alle blaam gezuiverd.'

'Net als alle andere onschuldigen die eerst veertien jaar in de gevangenis hebben doorgebracht?' zeg ik.

'Doe er maar mee wat je goeddunkt,' zegt hij en loopt het huis weer in.

We zitten te lezen, het blad papier tussen ons in. Het beschrijft wat Kleine John ons heeft verteld, maar dan duidelijker. Ik weet niet hoe Simon zich voelt. Het kan beslist niet aangenaam voor hem zijn. Het is geen aangename leesstof voor mezelf. Ik merk dat ik instinctief een stukje opschuif. Dit blad papier drijft ons uit elkaar.

MIJN ROL IN DE GEBEURTENISSEN VAN 7 MEI

Op de ochtend van 7 mei werd ik gebeld op mijn mobiele telefoon. Ik weet niet wie me opbelde. De man was heel dreigend. Hij ging uitvoerig in op enkele recente voorvallen die me erg veel ongemak hadden bezorgd – valse oproepen, twee lekke banden, benzine die uit mijn tank was gehaald – en die ik had toegeschreven aan baldadige tieners. Hij zei dat dit nog maar 'lichte waarschuwingen' waren. Hij zei dat mijn taxi in brand zou kunnen vliegen. Hij zei dat mijn vrouw 'iets onaangenaams kon overkomen'. Ik nam aan dat hij geld wilde maar hij zei dat ik alleen een karweitje voor hem hoefde op te knappen. Ik moest een taxi ophalen bij de ongebruikte boerderijgebouwen die een stukje van de B375 af liggen, mijn eigen auto daar achterlaten, en om 22:30 die avond naar Thorney rijden en daar 'de aandacht op me vestigen' door 'wat rond te scheuren, met portieren slaan, toeteren en voor een stuk of wat huizen de motor laten loeien' en vervolgens om 22:40 snel richting Grafton rijden. Dan moest ik de tweede afslag links nemen, die me terug naar de B375 zou brengen. Ik moest de auto precies waar ik hem had aangetroffen weer achterlaten en naar huis rijden 'en je mond houden, want anders...'

Toen ik bij de schuur aankwam en de auto vond die voor me klaarstond, zag ik dat die ruwweg het uiterlijk van een van Tony Lomonds taxi's had. Ik dacht dat het om pesterij van een ander taxibedrijf ging: de politie zou een onderzoek instellen en hem daarmee een hoop last bezorgen. Ik had zelf de politie moeten bellen, maar ik had geen idee wie deze mensen waren en ik nam hun bedreigingen serieus. Ik dacht niet dat mijn optreden Tony écht schade zou toebrengen. Het kon bovendien best dat hij een waterdicht alibi had.

Aldus deed ik precies wat me was opgedragen, behalve dat ik een beetje te wild slipte en een lantarenpaal raakte waardoor de auto een deuk opliep. Dat deed diverse gordijnen opengaan. Ik was zo opgefokt dat ik de afslag miste, als een bezetene midden op de weg keerde en pas toen een beetje tot bedaren kwam. Ik zette de auto terug en reed naar huis in de hoop dat de kous daarmee af was, al wist ik in mijn binnenste wel dat deze mensen terug zouden komen.

Ik schrok verschrikkelijk toen ik hoorde dat Bill Westcot was vermoord en me realiseerde dat ik daar een aandeel in had gehad. Ook nu had ik naar de politie moeten gaan, maar ik had geen bewijs. Toen hoorde ik dat Tony Lomond was gearresteerd en ik nam aan dat hij er net als ik zijdelings bij betrokken was, of een sleutelrol speelde.

Ik móést gewoon nog een keer gaan kijken daar. Ik wist dat het onverstandig was maar ik kon me uiteindelijk niet bedwingen. Ik passeerde een jongen op een fiets die naar ik nu weet Tony's zoon was en ik schreeuwde naar hem omdat ik niet wilde dat hij me zag op de plaats waar het gebeurd was. Na mijn eerste tocht ging ik er telkens weer heen. Ik ontdekte een stel bandensporen die ik bij het keren had gemaakt en probeerde die uit te wissen. Op een ochtend ben ik de jongen zonder enige reden gevolgd – mijn zenuwen begonnen het te begeven, vermoed ik. Op zekere dag ging ik naar de schuur en toen ik de jongen daar weer zag, raakte ik in paniek en sloot hem op in de schuur. Ik kalmeerde spoedig en ging terug, maar hij had zichzelf al bevrijd.

Ik heb eerlijk beschreven wat ik weet. Bewijs heb ik niet.

# 19
# Simon

Nadat ik Kleine Johns 'bekentenis' had gelezen – of hoe je het ook moest noemen – was ik zwaar depressief. Papa moest onschuldig zijn. Dus was iemand anders de schuldige. Die iemand was Kleine John geweest. Nu het ernaar uitzag dat Kleine John het toch niet was, rustte de verdenking weer zwaar op mijn vader. Wie was er immers verder nog?

Charley keek me aan, verward, bezorgd en diep ongelukkig. Haar vader was nog steeds dood. Daar was niets aan veranderd. Ze had me vertrouwd, als een vriend beschouwd. De zoon van de moordenaar van haar vader kon geen vriend zijn, of te vertrouwen zijn. Alleen de verdenking was al te veel. De geringste verdenking.

'Denk jij dat dit waar is?' vroeg ze.

Ik had nee kunnen zeggen. Ik had kunnen zeggen dat het van voor tot achter gelogen was. Ik denk dat ze dat van me wilde horen. Maar ik kon het niet zeggen. Op dat moment, gezeten op een bank in wat de tuin van de vijand was geweest, moest ik zeggen: 'Het klinkt waar. Het klopt met de feiten.'

'En je vader dan? Heeft hij het gedaan?'

Ze vroeg het alsof ze een beetje napraatte na het slot van aflevering één van een tv-serie waarin zojuist de voor de hand liggende verdachte was gearresteerd. Ik dwong mezelf haar aan te kijken. 'Nee. Nee, hij heeft het niet gedaan.'

Er viel een stilte, een lange, pijnlijke stilte. Opeens barstte ze uit: 'Wie zijn de twee mannen die gisteravond naar de schuur kwamen om de auto in brand te steken? Wie heeft Kleine John opgebeld? Je vader kan het niet geweest zijn; hij zou zijn stem hebben herkend.' Ze beantwoordde mijn blik.

Toen boog ze naar voren en pakte mijn hand. 'Ik geloof niet dat je vader erbij betrokken was.'
'Waarom niet?'
'Ik weet het niet.' Ze liet mijn hand los, keek van me weg en zei: 'Ik vermoed omdat ik je te aardig vind om zoiets te kunnen geloven.'
We zaten zwijgend naast elkaar. Dat was een grote troost, de enige echte troost die ik had ervaren vanaf het moment dat deze lange poolnacht begonnen was. Een grote warme donsdeken, maar geen dageraad. De duisternis strekte zich nog steeds eindeloos ver uit.
'Geloven telt niet,' zei ik.
'Precies,' zei Charley, en stond op. 'Daarom gaan we het bewijzen. Waar kunnen we overleggen zonder nieuwsgierige oren?'
'De openbare bibliotheek,' zei ik toen me te binnen schoot dat ik daar eerder voor de ijzige poolwind had geschuild. Ze leek het voornemen om alles wat we wisten aan onze moeders te vertellen compleet vergeten te zijn. Ze had zich, zo besefte ik toen ik later over deze vreemde en verschrikkelijk weken nadacht, teruggetrokken in een fantasiewereld. Het zou me niet verbaasd hebben als ze de telefooncel die we passeerden was binnen gestapt en zichzelf in *Superwoman* had veranderd, behalve dan dat het een cel zonder deur was zodat het sowieso niet had gekund. Niettemin was het haar wel gelukt haar cape over me heen te spreiden en me met zich mee te voeren. Had ik omlaag gekeken dan was ik vast te pletter gevallen, maar ik hield mijn ogen zorgvuldig gesloten in het warme duister dat haar omhulde. Ze bewoog zich niet langer door de echte wereld waarin handelingen werden ingegeven door gezond verstand en regels, en waarin er volwassenen waren om de problemen op te lossen.
'Dag jongeman,' zei de bibliothecaresse glimlachend. 'Hoe staat het met het project?'
Gelukkig herinnerde ik me mijn leugens. 'Goed, dank u. Maar we hebben nog wat gegevens nodig.' Ze glimlachte

opnieuw en overhandigde ons twee pennen en een stapel bedrukt printpapier.

Ik ging Charley voor naar de plank met plaatselijke geschiedenisboeken, pakte er lukraak een paar uit en droeg ze naar mijn gebruikelijke tafel. Charley nam een van de blaadjes papier. Ze schreef er overdreven netjes op:

*Reconstructie*

1 *KJ brengt dwaalspoor aan om verdenking op S's vader te laden.*

'Hoe is dat in zijn werk gegaan?' vroeg ze. 'Ik bedoel, wat is de bedoeling ervan?'

'Het had tot gevolg dat de politie papa arresteerde. Een groot aantal getuigen heeft gezien hoe hij zich in Grafton vreemd gedroeg vlak voordat... voordat...'

'Een nogal mager bewijs,' zei Charley, en ik voelde opeens weer hoop toen ik voor het eerst besefte dat het inderdaad niet veel voorstelde. Ik had nooit geloofd dat papa het gedaan had, maar ik had altijd aangenomen dat de politie sterk stond tegen hem. Charley schreef verder:

2 *S's vader volgt kort daarop met passagier.*
3 *Papa haalt in Grafton een 'passagier' op en rijdt naar Grafton. Passagier laat hem op een stil stuk weg stoppen en hij wordt VERMOORD.*

'Misschien was het een ongeluk,' zeg ik. 'Ik bedoel, ze wilden hem zo'n waarschuwing geven maar er ging iets mis.' Ze keek me aan en knikte toen langzaam. Ze streepte 'vermoord' door en ging verder:

3 *Papa haalt in Grafton een 'passagier' op en rijdt naar Grafton. Passagier laat hem op een stil stuk weg stoppen en hij wordt ~~VERMOORD~~ mishandeld als waarschuwing.*

*Plan om in één klap drie taxibedrijven te bemachtigen:*
*- dwing Kleine John iets te doen waarover hij zijn stilzwijgen moet bewaren*
*- laat papa afrossen*
*- zorg dat S's vader verdacht dicht in de buurt van beide ongelukken is.*
*DAN*
*steek de neptaxi in brand alsof het joyriders zijn geweest*
*pleeg een anoniem telefoontje naar de politie!!*

'Daarom kwamen ze papa dus halen,' zei ik. 'Ze kregen een tip.'

*Drie bedrijven zonder klandizie.*
*EINDRESULTAAT: GROTE OVERNAME*

'Maar het plan mislukte,' zei ik.

'De rotzakken! Hij was zo trots op zijn zaak. De verkoop ervan zou zijn hart hebben gebroken. Het kan ze nog steeds lukken. Mama laat zich uitkopen door Kleine John en dan nemen ze hem te grazen en je vader belandt in de gevangenis...'

'Is er iets, kindje?' vroeg de bibliothecaresse.

'Hooikoorts,' zei Charley tussen haar tranen door. De bibliothecaresse toverde een doos papieren zakdoekjes van achter haar magische balie te voorschijn en bracht die naar ons toe. Ik legde een leeg vel papier over Charleys aantekeningen.

'*Plaatselijke plattelandsarchitectuur*, dat is nog eens een interessant project. En *Kanalen van de East Midlands*. Leuk zeg!'

Ik sloeg het dichtstbijzijnde boek open. Een illustratie van een schuur gaapte me aan. Ik schreef HOOISCHUREN op het papier, begon de afbeelding na te tekenen en voelde me net zo dom als je je op school voelt wanneer een docent je betrapt heeft maar niets zegt.

'Bedankt,' zei Charley, en snoot haar neus. Dat scheen voor de bibliothecaresse het sein te zijn dat ze terug naar haar computer kon. Charley pakte het stuk papier waarop ik had getekend.

*Wat we hebben*
*de neptaxi*
*KJ's bekentenis en een bladzijde uit zijn agenda*

Het was een kort lijstje, en we wisten niet zeker of we de taxi nog hadden. Toen tikte Charley op mijn opschrift. 'We moeten die strobalen verplaatsen,' zei ze, 'en de auto erachter verbergen. Als de auto verdwijnt, kunnen we wel inpakken.'

*Actieplan*
*1 auto verstoppen*
*2 foto's*
*3 meer bewijzen verzamelen*
*4 valstrik zetten*

Ik voegde 'hoe?' toe aan de punten 3 en 4 op het Actieplan, waarna we voor ons middageten een snack gingen kopen.

# 20
# Charley

Ik ga naar huis, waar Kleine John in de keuken met mijn moeder zit te praten. Wanneer ze haar rug naar ons toewendt om water op te zetten, haar gebogen rug, haar rug gebogen onder het onzichtbare verdriet dat ze met zich meedraagt, krabbelt hij iets op een stukje papier en schuift dat naar me toe: 'Ik MOET met je praten.'

'Oom John,' zeg ik, 'hebt u al gezien hoe mooi de tuin erbij staat?' Iets beters dan die slappe smoes kan ik niet verzinnen. Hij volgt me door de achterdeur naar buiten, waar we langzaam over het gazon lopen en doen alsof we papa's keurige perken bewonderen. Het heeft iets verschrikkelijks dat de bloemen die hij geplant heeft gewoon verder bloeien terwijl hij er niet meer is om ze te bewonderen.

'Ik ben weer bedreigd. Telefonisch.' Mooi zo, denk ik. Ik hoop dat ze je laten zweten. 'De auto is weg. Die ene die ze als Tony Lomonds taxi hadden opgetuigd. Hij werd weggereden. Ze kwamen om het bewijsmateriaal te vernietigen. Het was donker en er was die storm en plotseling reed iemand recht op ze af en scheurde weg. Ze denken dat ik het was. Ze willen de auto terug.'

Ik zeg niets.

'Weet jij daar meer van, Charlotte? Die mannen deinzen nergens voor terug.'

Als hij 'Charley' had gezegd, zou ik het hem verteld hebben. 'Dacht u dat ik midden in de nacht in auto's rondrijd? Ik kan niet eens rijden, weet u nog? Ik wilde geen les van papa toen hij dat voorstelde.'

'Jij was daar. Jij en die jongen. Geef maar toe, ik heb jullie gezien. Heeft hij de auto gereden?'

'Dat moet u hem vragen,' zeg ik.

Mama tikt op het raam en houdt een beker in de lucht ten teken dat mijn thee klaar is. Ik wuif en begin terug naar het huis te lopen. Hij grijpt me bij de arm en ik schud hem geërgerd van me af. Ik laat me niet door hem aanraken.

'Ik moet morgenochtend om elf uur bij de oude boerderij zijn. Dan komen ze. Zie dat je die jongen te pakken krijgt en ontmoet me daar dan direct na tienen.'

'Waarom gaat u niet naar de politie?' zeg ik. 'Ik kom daar in elk geval niet meer. Ik heb er al genoeg tijd doorgebracht.'

'Ik heb geen bewijs. Het is mijn woord, meer niet. Alsjeblieft. Zorg dan tenminste dat die jongen komt. Ik wil ook best ergens anders met hem afspreken. Maar ik moet ze íéts kunnen vertellen. Alsjeblieft, ik sta aan jouw kant.' Daarop gaan we terug naar de keuken en ik neem mijn beker thee mee naar mijn kamer en ga op bed liggen en staar naar het plafond. Dan sta ik op en bel Simon.

's Avonds komt Amy langs, wat aardig van haar is omdat ik momenteel geen vrolijk gezelschap ben. De meeste mensen mijden je wanneer er iets verschrikkelijks is gebeurd, alsof dat besmettelijk is. Mama neemt het ze niet kwalijk: ze voelen zich niet op hun gemak, zegt ze. Ik vind ze egoïstisch. Ik wil wanhopig graag normale mensen zien, om een beetje afleiding te hebben van alles wat er is gebeurd. Verdriet is hard werken; je moet er af en toe van bijkomen. Mensen zijn geschokt wanneer je lacht. Vermoedelijk zouden ze flauwvallen als ze zagen hoe ik deze avond met Amy zit te gieren. Ze vertelt me dat juffrouw Corben Kylie betrapte op het overschrijven van Emma's huiswerk en hoe Kylie haar probeerde wijs te maken dat Emma in werkelijkheid haar huiswerk had overschreven. Het was eigenlijk een verhaal van niets maar Amy beeldde het allemaal uit en maakte er een schitterend schouwspel van. Ze is fantastisch. Ze lijkt te weten wanneer ik alleen over papa wil praten en treuren, en wanneer ik behoefte aan vrolijkheid heb.

Ze weet dat mama niet weet dat ik niet naar school ga en voert een toneelstukje voor me op wanneer ze vertrekt. Mama geeft haar een kus; zij is niet geschokt dat ik heb gelachen. 'Vergeet niet dat ik morgen vroeg wil zijn!' roept ze als ze bij het poortje is, zoals we hadden afgesproken, en ze zwaait. Zonder haar warme gloed maakt het huis een lege indruk. Zorgvuldig pak ik alle dingen die ik met Simon heb afgesproken in mijn schooltas, waarna ik met mama tv kijk. We vinden er allebei niets aan, maar wat moet je 's avonds anders doen? En mama probeert er in elk geval weer iets van te maken.

De volgende ochtend is het opnieuw helder en zonnig. 'Je zou denken dat het daar geweldig leuk is,' zegt Simon. 'Telkens weer gaan we naar die plek toe. Dag na dag na dag. Ik ben de tel verloren hoe vaak we er nu al geweest zijn. Elke keer is het erger, vind je niet?'

Ik mompel iets en dan moeten we achter elkaar gaan fietsen vanwege het verkeer en zoek ik afleiding door een vakantiefolder voor de boerderij te verzinnen:

ATTRACTIEPARK DE MOORDKUIL!!

**Spanning en sensatie voor het hele gezin!**
**Wil je moordenaar of slachtoffer zijn**
**of de grote detective...**
**kies zelf je rol!**
**Beleef een opwindende dag op Boerderij Moordlust. U wordt ontvoerd, in een schuur opgesloten met een zak over uw hoofd, rijdt auto tijdens een onweersbui...**

Het probleem is dat er te veel mensen op zouden afkomen. Ik voeg een regel toe, of misschien de slagzin:

**Speciaal voor lijkenpikkers en gieren:**
**lijdende mensen te zien!**

We fietsen over de maar al te bekende weg: Simon heeft volkomen gelijk. Ik heb een bosje van papa's bloemen geplukt en hun bonte pracht steekt schril af tegen mijn stemming. Simon slaat me gade terwijl ik ze op de berm uitspreidt, waarna we onze fietsen achter de haag verbergen en de heuvel oplopen. We denken dat dit de veiligste weg is.

'Heb je je vader vandaag gezien?' vraag ik wanneer me opeens mijn kritiek op andere mensen van gisteravond te binnen schiet en ik me realiseer hoe egoïstisch ík ben geweest. Natuurlijk, mijn vader is dood, maar de zijne zit in de gevangenis. En inderdaad, hij wil praten, en óf hij wil praten. Hij stort zijn hart uit. Hij had niemand gehad en het allemaal opgekropt tot hij op het punt stond te knappen, maar dat is nu eenmaal wat mannen doen – alles opkroppen, bedoel ik.

Zijn moeder gaat elke dag. Dat mag blijkbaar wanneer iemand in voorarrest is. Simon is maar twee keer geweest. De eerste keer wilde hij zelf meegaan en de tweede keer moest hij van zijn moeder en hij hoopt dat hij niet nog een keer mee moet van haar. Niet dat hij zijn vader niet graag wil zien; het ligt niet aan zijn vader. Hij heeft geen gevangeniskleren aan of zo, dat is ook zoiets dat bij voorarrest hoort, maar je moet door al die vergrendelde deuren en veiligheidscontroles, en je moet hem achterlaten wanneer je naar huis gaat. Dat is het moeilijkste van de hele situatie, datgene waar hij niet tegen kan.

Zo zitten we op de heuveltop in de zonneschijn. Het lijkt wel of ik de afgelopen dagen niets anders gedaan heb dan deze heuvel op en af fietsen. Ik neem aan dat het de leegte van die dagen heeft gevuld, en het een uitweg is geweest voor mijn rusteloze behoefte om iets – wat dan ook – te doen en voor mijn onvermogen me op iets te concentreren. Bovendien heeft deze heuveltop iets van een eiland. Je zou bijna denken dat we via een of andere kast een andere wereld zijn binnengestapt. Links van me is de plaats waar papa werd vermoord. Recht onder ons is de plaats waar we onlangs een auto hebben verborgen die iets met zijn dood te maken heeft. Verder weg zijn mama, en school, en de lege toekomst. Schoorvoetend, heel schoorvoetend, zullen we naar die toekomst moeten afdalen.

Vanaf de heuveltop ziet de boerderij er vredig uit, als een modelboerderij. We lopen erheen, de heuvel af. We hebben het lange gras platgelopen en er is nu een duidelijk pad: onze bijdrage aan het natuurlandschap. Met dergelijke simpele gedachten probeer ik te vergeten wat we eigenlijk doen: we betreden – nogmaals! – die boerderij waar elk moment gevaarlijke, desperate mannen kunnen opdagen. Maar de zon schijnt, Simon is bij me: alle kwaad lijkt hier ongeloofwaardig. En papa is dood zodat het me toch niet raakt: iets ergers kan er niet gebeuren, nu niet en nooit niet.

Ik heb er bijna plezier in om de auto te verplaatsen. Stralende zonneschijn verandert de dingen. Het verplaatsen van de strobalen is een ander verhaal. Ze zijn zwaar, weerbarstig en onhandelbaar. We moeten ze met z'n tweeën vertillen, en dan moeten we ze weer terugtillen. We stapelen ze vlak achter de deuropening op, waardoor het lijkt alsof de hele schuur er vol mee staat. Daarachter is nog ruimte genoeg, een soort geheime uitkijkpost, zegt Simon. Ik geloof niet dat me dat prettig in de oren klinkt.

Van buitenaf ziet het er heel overtuigend uit. Aan een kant kun je over de balen klauteren. We verschuiven er een paar zodat we een platform hebben om op te staan en maken in de bovenste laag een paar openingen waar we doorheen kunnen kijken en een opening om te fotograferen. Ik haal de microfoon uit papa's minirecorder en plaats die tussen twee balen, ongeveer op oorhoogte. Ik hoop dat hij de gesprekken kan opvangen. Ik duw de draad naar achter en Simon trekt hem verder door.

We zijn verhit en zweterig en zitten onder de schrammen, maar we zijn er klaar voor. We kunnen nu alleen nog wachten: altijd het moeilijkste onderdeel. Ik leun achterover op ons platform en wrijf mijn rug tegen het stro. De lichamelijke jeuk is gemakkelijk te verdragen. We wachten. En wachten.

# 21
# Simon

Eindelijk hoorden we een auto aankomen. Ik keek op mijn horloge: bijna tien uur. Het zou Kleine John kunnen zijn. Charley ging staan en tuurde door haar kijkgat, ik tuurde door het mijne. De bekende BMW parkeerde met een behendige draai precies tegenover ons. Toen ronkte hij opnieuw en ik dacht dat hij zou wegrijden, maar hij keerde alleen maar, wellicht omdat hij er dan bij problemen snel vandoor kon gaan.

Hij stapte uit zijn auto, bleef staan en keek om zich heen. 'Charlotte!' riep hij. 'Hallo?' Toen boog hij half de auto in en toeterde. Hij liep gespannen op en neer als iemand die naar zijn bus uitkijkt.

'Zweet maar, stuk ongeluk,' mompelde Charley.

Hij liep uit het zicht. Ik moest denken aan een kasteel dat we in Wales hadden bezichtigd. De torens hadden schietgaten in alle richtingen zodat de verdedigers konden zien wat er gebeurde. Ik was die les vergeten. Wij konden recht voor uit kijken, alleen recht vooruit. Alle actie kon zich best buiten beeld afspelen, en zeker buiten bereik van de camera. Het was nu te laat om daar nog iets aan te doen.

Hij kwam terug en liet zijn handen op het dak van de auto rusten. Zijn hoofd zakte naar voren totdat het zijn handen raakte. Zijn schouders begonnen te schokken.

'Hij huilt weer,' zei Charley, onder de indruk.

Toen klom ze over de muur van stro en liep naar hem toe. Eerst hoorde hij haar niet, toen rees zijn hoofd langzaam omhoog en keek hij haar aan. Zonlicht glinsterde op de tranen op zijn wangen.

'U zit echt in moeilijkheden, hè?' zei Charley.

'Dat heb ik je toch gezegd. Je wilde me niet geloven.'

Ik sloeg Charley gade en vroeg me af wat ze zou doen. Ze leek het zelf niet te weten. Ze stond tegenover Kleine John met zijn auto tussen hen in. Ze leek gespannen, klaar om weg te rennen. Als het klopte wat hij zei...

'Waar is de auto?' vroeg hij.

'Hoe kan ik dat weten?' antwoordde ze. Even dacht ik dat ze loog, zei dat ze het niet wist, en toen besefte ik dat het niet zozeer een leugen was als wel een uitvlucht. Het leek of ze hem testte, alsof ze hem nog steeds niet wilde geloven omdat ze zo'n afkeer van hem had. Ik vroeg me af of ze daar nog een andere reden voor had die ik niet kende; zó erg leek hij me ook weer niet.

'De auto vertrok. Jij was hier. En die jongen. Is hij hier nu ook?'

Opnieuw gaf ze hem geen direct antwoord. 'We hebben bewijzen nodig. We moeten de politie kunnen vertellen wie er voor dit alles verantwoordelijk is.'

Hij wierp een blik op zijn horloge en begon om de auto heen te lopen, naar haar toe. Ze deinsde terug en hij stopte. 'Ze kunnen elk ogenblik hier zijn. Ze zijn gevaarlijk. Ze willen die auto hebben en zullen geweld gebruiken als ze hem niet krijgen.'

'Wie zijn "ze"?'

'Dat weet ik niet. Dat heb ik je toch gezegd? Ik weet het niet. Het enige wat ik weet is dat jij je heel vreemd gedraagt. Ik ben een vriend van je moeder; ik was een vriend van je vader. Margaret en ik bevinden ons in groot gevaar. Eenvoudiger kan ik het niet zeggen.'

'Als ik wist waar de auto was,' zei Charley, 'als ik het wist, wat heb je daar dan voor over? Wat is het je waard?'

'Vraag je me om geld?'

'Ik wil uw hulp. Ik moet weten wie papa vermoord heeft. Ik moet weten waarom. En ik wil Simons vader uit de gevangenis krijgen.' Bedankt, dacht ik. Ik geloofde niet dat ik daar zelf met de vijand had kunnen onderhandelen zoals zij nu deed. Ik besefte plotseling dat ik, sinds die ochtend dat de politie papa was komen arresteren, op de vlucht was geweest en me had verborgen: niet in staat om iemand onder ogen te komen. En ook niet om mijn eigen gevoelens onder ogen te zien.

Ik stond op en boog me over de strobalen. 'We hebben bewijzen nodig,' zei ik, terwijl ik hem recht en kalm in de ogen keek. Een kleine stap voor een mens, dacht ik, maar een reuzensprong voor mij.

'Verstopt in het donker,' zei Kleine John spottend. 'En een meisje het woord laten doen.'

'Dat is behoorlijk seksistisch,' zei Charley.

'Daar hebben we nu geen tijd voor,' zei hij. 'Ik weet niet hoe ik aan bewijzen moet komen. Het enige wat ik weet is dat ze eraan komen en ons een hoop ellende gaan bezorgen.'

'Ik zal u zeggen hoe we aan bewijzen zullen komen,' zei ik, en ik vertelde het hem. Ik begrijp niet waarom volwassenen niet beter naar de tv kijken. Je vindt er een hoop nuttige informatie.

'Als u meewerkt, kunnen we ons waarschijnlijk wel herinneren waar de auto is,' zei Charley.

Ze liep van hem weg zonder op antwoord te wachten. Wat had hij ook kunnen zeggen? Toen hoorden we het geluid van een auto die het boerenpad opreed, en ze klauterde over de strobalen en plofte naast me neer. Ze haalde de camera uit de tas, priemde die in de opening die ze had gemaakt en stelde toen de zoomlens in. Ik prutste aan de knoppen van de cassetterecorder. Het hing nu af van Kleine John, besefte ik, maar als wij er een puinhoop van maakten leverde het nog niets op. En konden we hem vertrouwen?

De auto, een van die *four-wheel drives* die papa altijd uit hun krachten gegroeide winkelwagentjes noemt omdat dat het enige is waar de meeste mensen ze voor gebruiken, rolde het erf op en stopte, bijna tegen de bumper van de BMW. Ik hoorde Charleys toestel klikken en automatisch verder spoelen. Het klonk heel hard in de stilte. Mijn vinger zweefde boven de knop. Minutenlang gebeurde er niets op het erf. Ik kon een man achter een opengedraaid raampje zien maar ik kende hem niet, had hem nooit eerder gezien. Kleine John was achter zijn auto vandaan gekomen en stond halverwege tussen de BMW en de schuur waarin wij ons bevonden, zoals we hem gezegd hadden. Konden we hem vertrouwen?

Ik keek snel rond. Er was geen andere weg naar buiten. Als hij ons verried, zaten we klem. Ze zouden ons, én de auto te pakken hebben. Alles wat we hadden doorstaan, zou voor niets zijn geweest. De rit door de storm in het donker. Ik had in die auto akelig kunnen verongelukken... Ik kon nog steeds akelig verongelukken. Charley en ik konden in die auto een ongeluk krijgen... Naar het schijnt waren ze goed in het ensceneren van ongelukken.

Ik zette de cassetterecorder aan. Het had geen zin om altijd van het ergste uit te gaan. Op z'n minst één van ons moest kunnen ontsnappen. De vele jaren krijgertje spelen toen je klein was zouden toch eens van pas moeten komen.

De man leunde uit het raampje. 'Waar is de auto?'

Ik hoorde de klik-en-zoem van de camera.

'Zoals ik al heb gezegd: ik weet het niet.'

De man opende het portier van zijn winkelwagentje en stapte uit. Hij was tiptop gekleed: maatpak, stropdas, glimmende schoenen. Een andere man stapte aan de andere kant uit: spijkerbroek, T-shirt, gympen. Ik kende ze geen van beiden. Ze konden goed de mannen van de vorige nacht zijn geweest. Voor hetzelfde geld waren ze het niet. Eigenlijk wilde ik ze ook niet kennen. Alle attributen waren er nu: drie mannen, twee glimmende auto's en een vervallen boerderij.

'Oké, Johnny,' zei Maatpak, 'laten we een beetje voortmaken. We hebben het druk. Vertel ons nou maar waar je die auto hebt weggeborgen. We weten dat je hier was. We hebben die mooie, glimmende BMW van je gezien. Deze hier, met de gebroken voorruit.' Terwijl hij dat zei, pakte

Gymschoen een brok beton van de grond, stapte naar voren en knalde er een, twee, drie keer mee tegen de auto: voorruit, koplamp, koplamp. Het gebroken glas ving het zonlicht op en fonkelde.

'Mooie lak hebben deze auto's,' zei Gymschoen en hield zijn brok beton boven de motorkap gereed.

Kleine John zette twee passen achteruit, dichter naar ons toe. 'Ga je gang,' zei hij. 'Hij is verzekerd. Mijn polis dekt opzettelijke beschadiging door vandalen.'

'Maar ben jíj verzekerd?' vroeg Gymschoen en gooide het betonblok in zijn richting. Het viel met een dreun op de plek waar Kleine John had gestaan voordat hij opzij sprong.

'Is je vrouw verzekerd?' zei Maatpak zacht.

'Mijn vrouw?' zei Kleine John.

'Die lieve Margaret,' hoonde Gymschoen. 'Heb je voor haar ook een polis, chauffeurtje? Schrijf je haar soms af en koop je van het geld een nieuwer model, chauffeurtje?'

'Ik weet niet waar de auto is en dat is de zuivere waarheid. Je kunt me wel bedreigen, maar ik weet het gewoon niet.'

'Het probleem is,' zei Maatpak kalm, overdreven beleefd: 'Kunnen we je geloven?'

'Waarom zou ik hem voor jullie willen verbergen?'

'Daar heb je een punt,' zei Maatpak, 'daar heb je zeker een punt. Waarom zou je? Het probleem is dat we nu even geen tijd hebben om raadseltjes op te lossen. Onze werkgever wil die auto echt hebben, en wel nu meteen. Nu, en niet morgen. Nu, en niet na een paar raadseltjes.'

'Denk je dat die lieve Margaret het zou weten?' vroeg Gymschoen.

Kleine John keek over zijn schouder naar de schuur waarin wij verscholen zaten.

Tot op dat moment had hij het goed gedaan. Als het bandje en de foto's gelukt waren, hadden we tastbaar bewijs. Hij had iets moeten verzinnen, ze een leugen moeten verkopen over waar de auto was, ze voldoende lang uit onze buurt zien te krijgen zodat wij naar de politie konden gaan. Achteraf is het echter makkelijk om te zeggen wat hij had gemoeten. Hij stond onder druk. Zijn lichaam handelde instinctief.

Hij keek over zijn schouder naar de schuur waarin wij verscholen zaten. Dat was voor de mannen voldoende. Ze keken elkaar aan en lachten.

'Misschien hoeven we Margaret helemaal niet lastig te vallen,' zei Maatpak vriendelijk. 'Ze heeft het vast al druk genoeg. Weet je waar ik zin in heb? Ik heb echt zin in een sigaret. Het probleem is dat ik een heel onoplettende roker ben. Hoe vaak ik niet al een brandende lucifer heb laten vallen, of zelfs een brandende sigarettenpeuk! Vreselijk gewoon. En onoplettende rokers veroorzaken brand. Over verzekering gesproken!'

Hij nam een pakje sigaretten uit zijn zak.

# 22
# Charley

'Ik zou je auto maar van het erf halen,' zegt de passagier tegen Kleine John. 'Tenzij je natuurlijk wilt dat je hem vanwege vandalisme kunt afschrijven.'

Kleine John loopt naar zijn auto. De passagier loopt naar de zijne. Ze bewegen nu traag, als revolverhelden uit een western die elkaar afwachtend gadeslaan.

Mooi zo, denk ik. Jullie verplaatsen allemaal je auto, dan kunnen wij maken dat we wegkomen.

Dan stapt de bestuurder naar voren. De andere twee verstarren.

'Is dat wel zo'n goed idee?' vraagt de bestuurder. 'Hoe weten we dat hij verstandig zal zijn en gewoon naar huis en die lieve Margaret rijdt? Het laatste waar we behoefte aan hebben, is dat een bemoeial de brandweer gaat bellen.' Er ontspint zich een woordenwisseling en met een schok dringt de werkelijkheid tot me door.

Brandweer! Waar zat ik met mijn gedachten? Ze gaan de strobalen in brand steken, die de oude houten schuur in brand zullen steken, die de auto in brand zal steken, die vervolgens zal ontploffen en... Hoewel ze het niet weten, levert deze hele gang van zaken hun ook nog het extraatje op dat ze ons in brand steken.

Wat doen we hier? Wat doe ik hier? Wat is er met mijn leven gebeurd? Vragen spoken door mijn hoofd maar worden weggeduwd door die grote dwingeland, mijn verbeelding.

Een nachtmerrie neemt bezit van me. Rook vult mijn mond, verstikt me, hitte schroeit mijn huid, roostert mijn vlees, vertoornde vuurtongen brullen in mijn oren en...

# Brand maakt dodelijke slachtoffers

## Twee gezinnen getroffen

Gisteren zijn de stoffelijke resten van twee jonge mensen gevonden in de oude schuur die is afgebrand. De geblakerde geraamten, aangetroffen naast de fragmenten van een ontplofte en totaal onherkenbare auto, zijn geïdentificeerd aan hun gebit. Zij hielden gesmolten plastic klonten vast, naar men vermoedt de overblijfselen van een camera en een cassetterecorder, hoewel dat onmogelijk met zekerheid valt te zeggen. De politie werkt met twee theorieën. De ene is dat zij hadden gerookt en door onoplettendheid hun eigen dood hebben teweeggebracht. De andere is dat zij samen zelfmoord hebben gepleegd vanwege de tragische gezinsomstandigheden waardoor hun levens elkaar hebben gekruist...

Wanhopig probeer ik mijn gedachten onder controle te krijgen. We moeten hier uit zien te komen. We moeten hier met ons bewijsmateriaal uit zien te komen. We moeten hieruit en hiervandaan. Als we over de strobalen klimmen, zelfs als we gebruikmaken van onze zorgvuldig geconstrueerde opening – nooduitgang! – dan zien ze ons en krijgen ze ons te pakken en dan is het einde verhaal. Terug naar de lijken in de schuur.

Ik ben verstijfd van angst. Met al mijn dapperheid, in theorie althans. Met al mijn dapperheid wanneer er geen echt gevaar dreigt. Maar nu voel ik in mijn verbeelding al hoe het gekartelde brok beton mijn schedel inslaat, voel ik hoe mijn slappe lichaam over de strobalen wordt gesmeten, voel ik de vlammen al aan mijn vlees likken.

Ik steek mijn hand uit en pak die van Simon. Hij beeft van top tot teen. We zijn er geweest. Wegrennen en gegrepen worden, of blijven: in beide gevallen zullen we branden.

'We moeten verschillende kanten op gaan,' brengt Simon met klapperende tanden uit. Hij moet het twee keer herhalen voordat ik hem versta. Om de een of andere reden helpt het om net te doen alsof het niet allemaal voorbij is. 'Als een van ons weg kan komen, zullen ze de ander niets durven aan te doen.' Dit is het beste bericht dat ik in jaren heb gehoord. Plotseling is er een sprankje hoop.

'We moeten de camera en de opname meenemen,' zeg ik.

'Ik pak alleen de cassette,' zegt hij. 'Die past in mijn broekzak. Als ze me met een recorder zien, raden ze misschien wat er aan de hand is. Bovendien kan ik zo sneller bewegen.'

Ik zie hem gewoon denken dat hij degene is die zal ontsnappen – typische mannelijke arrogantie. Dat laat ik niet op me zitten. Ik spoel het filmpje terug en haal het uit de camera. Het is een onhandige klomp in mijn broekzak maar hij heeft gelijk: ik voel me een stuk vrijer zonder de camera in mijn handen.

De woordenwisseling lijkt ten einde en Kleine John loopt naar zijn auto. Hij stapt in, start, laat de motor even draaien en rijdt dan bij de terreinwagen vandaan. De rat, denk ik: er zelf heelhuids afkomen en ons hier achterlaten. Ik heb altijd wel geweten dat dat zijn ware aard was, onder alle vleierij.

Hij schakelt en rijdt woest achteruit, recht op ons af, en ik denk een ogenblik dat hij tegen de strobalen gaat botsen. Dan remt hij bruusk en stapt uit de auto, waarvan de motor nog draait.

'Er ligt verdorie overal glas!' schreeuwt hij. Hij raapt een stuk hout van de grond op en veegt daarmee over zijn stoel. Dan loopt hij voor de auto om naar de passagierskant, opent het portier en veegt daar verder. Hij opent het achterportier, buigt voorover, loopt dan achter de auto om en opent het laatste portier. Alle deuren staan nu helemaal open en de motor loopt.

'Alles in orde, nu kan ik gaan,' roept hij. Ik besef wat hij probeert te doen, en tegelijkertijd lijkt Simon het eveneens te beseffen. Ik kan het ondanks alles haast niet geloven. Ik had nooit gedacht dat hij tot zoiets in staat zou zijn.

De twee mannen staan naar hem te roepen, zeggen dat hij moet opschieten en dat schoonmaken maar een andere keer moet doen. Hij verlaat dc auto en loopt naar hen toe. 'Hebben jullie achter de schuur gekeken?' zegt hij. Hij had zeker gedacht dat ze nu weg zouden snellen om een kijkje te nemen zodat hij weg kon rijden met ons in de kofferbak verstopt.

Ze vertrouwen hem niet, dat zie ik duidelijk, en verdenken hem van een truc, hoewel ze niet weten waar het om gaat. Maar het is te doorzichtig en ze trappen er niet in. De passagier pakt hem bij de arm en zegt: 'Ga jij maar voorop, Johnny,' en ze lopen gedrieën uit zicht. Nu moeten we snel zijn.

We klauteren over de strobalen en ploffen op het erf neer. We hebben slechts seconden; ze zijn zo terug. Ik kan hun stemmen achter de schuur horen.

'Jij rent de heuvel op,' zegt Simon, 'dan rijd ik weg.'

Ik kijk hem aan. Ik weet dat hij gelijk heeft: opsplitsen verhoogt onze kansen. Maar ik zie al voor me hoe ik hijgend het pad op glibber en die gewelddadige man me moeiteloos inhaalt en mijn been grijpt en me omlaag trekt en het filmpje vindt, en dus spring ik achter in Kleine Johns auto terwijl Simon voor instapt en er is geen tijd om te redetwisten als Simon schakelt en we over het erf scheuren.

De wijdopen portieren klappen tegen de hekpalen bij de ingang en slaan dan vanzelf dicht, maar de mijne zwaait weer open en ik val er bijna uit in mijn poging hem te sluiten. Ik draai me om en zie de mannen naar hun auto spurten en Kleine John met zijn vuisten in de lucht een overwinningsgebaar maken.

Het is een herhaling van onze vorige krankzinnige rit, behalve dan dat het nu klaarlichte dag is en de zon schijnt en Simon zekerder van zichzelf lijkt en twee keer schakelt. De auto jankt niet langer en dendert zelfs nog sneller over het boerenpad.

Mijn euforie verdwijnt wanneer we de weg bereiken en

Simon schreeuwt: 'Waarheen? Waarheen?' We kunnen geen kant op. Een krankzinnige rit biedt nu geen hoop. 's Nachts, in een storm, kom je een heel eind: de hele wereld is dan krankzinnig en een paar krankzinnigen meer vallen niemand op. Maar op klaarlichte dag over drukke wegen kan Simon geen auto rijden. We zullen ofwel een ongeluk veroorzaken waarbij er doden vallen, óf we worden ontdekt en krijgen de politie achter ons aan... Op dit moment zou dat echter het beste zijn wat ons kan overkomen.

Ik werp een blik achter me en zie de terreinwagen snel naderbij komen. 'Linksaf!' gil ik maar Simon blijft steken en dan vult het zwarte monster de hele achterruit en beukt tegen ons aan en ik word half over de leuning geworpen en kruip op de passagiersstoel. Simon stuitert tegen het stuur maar door de klap vliegen we vooruit en we bevinden ons op de weg waar een tegemoetkomende auto ons net weet te ontwijken en hard toetert.

Dan krijgen we opnieuw een duw van achter waardoor we met een ruk vooruit schieten. Ik reik voor Simon langs en trek zijn gordel over hem heen maar hij schreeuwt: 'Nee, we moeten eruit en het op een lopen zetten,' maar ik negeer hem en klik de sluiting vast. Er staat ons hoe dan ook een botsing te wachten en met een verbrijzeld hoofd zal hij niet ver kunnen lopen. Ik houd mijn hand op de knop zodat ik hem ogenblikkelijk kan losmaken.

'Waar moeten we heen? Waar moeten we heen?' snikt Simon. De luchtstroom die door de gebroken voorruit suist, ranselt de woorden weg en maakt het moeilijk om helder te denken.

'Naar mensen!' zeg ik wanneer we de kruising bereiken. 'Rechtsaf! Naar mensen! Hoe meer getuigen, hoe veiliger we zijn.' En hoe meer mensen we in gevaar brengen, denk ik bij mezelf. Wat zal er gebeuren als er twee auto's, de ene bestuurd door een jongen – 'joyrider' zouden de kranten zeggen – en de andere door een maniak, een drukke straat in jakkeren...?

Er is op deze weg meer verkeer en Simon staat onder hoogspanning. Ze zitten ons op de hielen, zijn verschrikkelijk dichtbij, maar rammen ons niet opnieuw. Te veel andere voertuigen, vermoed ik. Dan rijden we de heuvel naar Grafton op en de auto protesteert en Simon besluit vóór de bocht terug te schakelen en zodra we dat kleine beetje snelheid verliezen, ramt de terreinwagen ons nogmaals met een bloedstollende dreun en Simon verliest de macht over het stuur en dan schuiven we dwars over de weg en belanden in de haag aan de overkant.

De motor slaat af. Mijn vingers klikken Simons gordel los en we werken ons uit de auto. Zijn voorkant steekt door de haag, de achterkant blokkeert de toegang tot de weg. De vijand is een paar meter verderop gestopt en rent op ons af. Een vrachtwagen en een auto zijn ook gestopt en de bestuurders ervan komen eveneens op ons af.

'Ren voor je leven!' roep ik, en we draaien ons om en strompelen het weiland op. Achter ons klinken kreten maar we kijken niet om.

# 23
# Simon

Het was als een beklemmende nachtmerrie: de ene verschrikking na de andere. Het enige voordeel was dat ze er zo snel waren dat ik niet eens de tijd had om in paniek te raken. Het ergste kwam daarna: denken aan wat er allemaal had kúnnen gebeuren.

Vooralsnog concentreerde mijn geest zich maar op één ding: mijn steeds onwilliger benen te dwingen door te lopen. Instinctief probeerde ik de plukken distels en de koeienvlaaien te ontwijken, en ik wist genoeg lucht in mijn longen te pompen om een sukkeldrafje vol te houden.

Ik begon bij Charley achter te raken. Ik verlangde er wanhopig naar me in het lange gras te laten vallen, te liggen en uit te hijgen en het onvermijdelijke te laten gebeuren. We konden toch niet ontsnappen. Wat had het voor zin om door te gaan? Toen stak Charley haar hand uit en greep de mijne en trok, waardoor ik ergens nog een beetje vastberadenheid vond en verder zwoegde. Het weiland liep hier steiler omhoog en toen hadden we het overgestoken en de andere kant bereikt.

Een poort! We hadden gewoon aangenomen dat er een poort zou zijn. Die was er niet. We holden op en neer. Er was aan deze kant van het weiland geen poort. Een perfect bijgehouden haag omheinde het hele weiland, afgezien van die ene poort die op de hoofdweg uitkwam. Een haag van stekelige meidoorn, waar je onmogelijk overheen kon klimmen, je doorheen kon wurmen, onderdoor kon kruipen. Het was het soort haag dat het kasteel van Doornroosje had omgeven: in het sprookje was hij bedekt geweest met de vergane lichamen van degenen die geprobeerd hadden een doorgang te forceren. Alleen al door ernaar te kijken kreeg ik het gevoel van doornen die over mijn ogen krasten. Het was onmogelijk, ook al liepen die mannen door het weiland op ons af. Ze hoefden zich niet te haasten. We konden geen kant op.

We konden krijgertje spelen. Er strekte zich een heel weiland voor ons uit. Het was uitgesloten dat ze ons allebei zouden vangen. Met z'n tweeën konden ze misschien een van ons vangen door goed samen te werken, als ze wisten hoe ze het spel moesten spelen. Wie van ons zouden ze kiezen? Beneden aan de weg stonden zoveel mensen te kijken dat we ons stellig niet echt in gevaar bevonden. Konden we het zo spelen dat ze achter een van ons aan gingen, zodat de ander met het bewijsmateriaal kon ontsnappen?

Charley leek mijn gedachten te lezen terwijl we daar naar adem stonden te happen. Ze pakte het filmpje uit haar broekzak en bekeek het. De mannen waren ongeveer halverwege het weiland en stevenden langzaam maar doelbewust op ons af, een paar meter van elkaar. 'Ik gooi het over de haag,' zei ze. 'Geef me de cassette. Dan gooi ik ze er samen overheen. Jij leidt ze af, zodat ze me niet zien.'

Er zat iets in. Het was het minste van alle kwaden. Ik overhandigde haar de minicassette. 'Bij drie,' zei ik. Ik telde af en sprintte toen naar links, de mannen in het oog houdend. Ze draaiden instinctief mee en begonnen achter me aan te gaan maar toen zei Maatpak iets waarop Gymschoen zich naar Charley wendde. Ik keerde ook om en liep terug zoals ik gekomen was, weer buiten adem. Ze glimlachte zwakjes naar me en toonde lege handen.

De mannen stopten ongeveer twintig meter voor ons. 'Wat heeft dat allemaal te betekenen?' zei Maatpak. 'Jullie weten iets wat wij moeten weten. Waarom hadden jullie je in die schuur verstopt?'

Ze hadden de auto dus niet gevonden. Ze wisten niet van de camera en de cassetterecorder af. En er was iets anders wat ze niet wisten.

Ik stootte Charley aan en gebaarde met mijn hoofd naar Grafton. Een blauw zwaailicht naderde met hoge snelheid over de weg.

'We raakten in paniek,' zei ze. 'Jullie hadden het over de schuur in brand steken. We moesten eruit. Hij liet de auto daar zomaar staan. Het was een buitenkansje. Zo gemakkelijk hebben we nog nooit kunnen joyriden.'

'Wat deden jullie daar?'

'Iemand zei dat daar vorige week een auto stond. We gingen er een kijkje nemen. Er was niets. We kwamen voor niets.'

Het blauw licht was al dichterbij, veel dichterbij. 'Jullie maakten ons bang,' zei Charley. 'Helemaal toen jullie ons van de weg ramden. We waren bang...' Ze praatte verder, zei maar wat, zonder veel samenhang. Ik bleef naar de weg kijken.

De politieauto stopte tegenover de poort. Er stapten twee politiemannen uit, die met de omstanders begonnen te praten. Ze wezen naar ons. De politiemannen bewogen zich naar de poort. Een van hen sprak in zijn radio. Ze bleven staan. Charleys woordenstroom stokte. Maatpak produceerde een onaangenaam lachje. 'Dan zullen we daar met z'n allen maar eens een kijkje gaan nemen.' Ze probeerden ons niet te grijpen. Ze wachtten slechts, in de veronderstelling dat ze ons in het nauw hadden gedreven en wij gedwee hun geopende kooi zouden binnen lopen.

'Goed,' zei Charley. 'Laten we gaan,' en ze wees naar de weg. De mannen draaiden zich om, keken en vloekten. Charley lachte, een hysterische, triomfantelijke lach, een lach die beduidde dat het spel uit was en wij veilig waren.

'Kom mee,' zei Maatpak, 'laten we ze samen tegemoet gaan. Dan mogen jullie ons overleveren.' Hij mompelde iets tegen Gymschoen, die niet erg blij leek, en ze liepen een paar passen van elkaar vandaan. Maatpak boog en wenkte ons, met een spottende grijns op zijn gezicht. Charley lachte en paradeerde door de opening tussen hen in.

'Nu!' riep Maatpak. Ze sprongen naar voren en voor we beseften wat er gebeurde, hadden ze Charley gegrepen. Ze hadden elk een arm vast en hielden haar op afstand terwijl zij kronkelde en trapte en gilde. De twee politiemannen begonnen over het weiland te rennen. Ik rende naar Maatpak en probeerde hem tegen de schenen te schoppen. Ik was van plan hem uit zijn evenwicht te brengen maar hij haalde kalm met zijn arm uit. Zijn hand trof de zijkant van mijn hoofd en ik spartelde op het gras.

'Halt, allemaal!' schreeuwde hij en plotseling stond iedereen stil. Ik keek omhoog, zag het mes in zijn hand en huiverde bij de gedachte aan wat mij had kunnen overkomen, aan wat Charley zou kunnen overkomen, aan scharlakenrood bloed op het groene gras.

'Het zou me spijten als ik haar pijn moet doen, maar jullie vast nog meer. Terug, jullie!' De politiemannen zetten een pas achteruit. Ze keken verward. Ze moeten hebben gedacht dat wij de boeven waren, en de twee mannen niet meer dan hun burgerplicht deden. Hier waren ze niet op voorbereid.

'Het is niet verstandig wat u nu doet,' zei een van hen. 'Ik weet niet wat er aan de hand is, maar u zit flink in de problemen. Laat alstublieft dat mes vallen, dan zoeken wij de zaak verder uit. Ook als het uw auto is die deze kinderen hebben gestolen en beschadigd, u moet de zaak aan ons overlaten.'

Ik verwachtte dat Charley iets zou roepen, om uit te leggen dat ze onschuldig was, maar ze zweeg. Ik zat op het gras, nog steeds met tollend hoofd, en probeerde koeienmest van mijn hand te vegen zonder dat iemand me opmerkte.

'Zo eenvoudig ligt het niet,' zei Maatpak. 'Ik heb nu geen tijd om het uit te leggen.'

'We kunnen u het meisje niet laten meenemen,' zei de andere agent. 'Dat moet u toch begrijpen.'

Maatpak bewoog zijn mes naar Charley en hield het

tegen haar gezicht. 'Denk maar niet dat ik haar niets aan zou doen,' zei hij. Charley schreeuwde het uit en ik zag een druppel bloed als een rode traan over haar wang rollen. Hij stak zijn mes omhoog, waardoor het schitterde in de zon. 'Jullie hebben geen keus,' zei hij. 'Ik geef mijn orders en jullie volgen ze op.'

Hij brengt haar om, dacht ik. Als ze eenmaal gedood hebben, schrikken ze nergens voor terug. Die agenten weten dat niet. Ze denken waarschijnlijk dat hij vanwege die auto over zijn toeren is en zo wel weer kalmeert.

'Luister goed,' zei Maatpak. 'Jullie gaan nu naar de weg lopen. Jullie zorgen dat al die pottenkijkers daar vertrekken. Dan rijden jullie zelf in je auto weg, tot je uit het zicht bent. Als we goed en wel weg zijn, zetten we het meisje ergens langs de weg af. Je kunt mijn eisen inwilligen, of een leven riskeren. Kies maar.'

'Geef ons twee minuten bedenktijd,' zei de eerste politieman en wendde zich tot de ander.

'Laat jullie radio's vallen!' zei Maatpak scherp. 'Nu meteen!' Zijn hand met het mes bewoog weer naar Charley.

De agenten legden hun radio's voorzichtig op het gras. Maatpak liet zijn arm weer zakken. Hij leek ervan te genieten om hen te treiteren en ze via het mes te bespelen. Charley stond verstijfd van angst tussen de twee mannen. Een rode veeg prijkte op haar wang. De twee politiemannen fluisterden tegen elkaar. Iedereen leek me te zijn vergeten, zoals ik daar jammerlijk op het gras lag.

De politiemannen richtten zich op. Ze leken tot een besluit te zijn gekomen. Ik ook. Maatpak had zijn arm boven me uitgestrekt. Het mes glansde. Ik sprong.

# 24
# Charley

Verwarring is het juiste woord ervoor. Verwarring volgend op verwarring, en dan nog meer verwarring. Ik denk dat ik de verwarring nu achter me heb. Ik hoop het. Er is inmiddels genoeg tijd voorbijgegaan sinds die verschrikkelijke weken. 'Richt je op de toekomst,' zegt oom John telkens weer. Ik weet dat hij gelijk heeft, maar het is niet altijd even gemakkelijk. Het verleden ligt verborgen op onverwachte plekken en overrompelt me wanneer ik er het minst op bedacht ben. Het moet in het volle daglicht komen, maar dat is moeilijk.

Wanneer er nu bijvoorbeeld rugby op tv is, móét ik gewoon de kamer uit. Door de aanblik van al die mannen boven op elkaar komt het allemaal weer terug: Simons verbazingwekkend moedige daad, zo anders dan zijn eerdere gedrag. Ik hoop dat ik hetzelfde had gedaan wanneer het omgekeerd was geweest, we denken allemaal graag van onszelf dat we moedig zijn, maar hij had de hele tijd als een echte sul achter me aan gesjokt. Zo zag ik hem destijds, denk ik: hij was zo'n meegaande, zielige en verslagen jongen. Alleen al door zijn aanwezigheid voelde ik me sterker: wat mij overkomen was, was veel erger dan wat hem overkomen was en toch hield ik me zoveel beter staande. Ik had de plannen gemaakt en alles besloten. En toen kwam – *zjoeff* – Superman me redden!

Ik wilde dat ik alles echt had kunnen zien, dat ik in staat was geweest de gebeurtenissen als toeschouwer te volgen. Maar hoezeer ik dat nu ook probeer, het blijft slechts een plotselinge verwarring. Het ene moment stond ik daar in het felle zonlicht tussen twee schurken die me in een pijnlijke greep hielden terwijl de politiemannen stonden te weifelen en het volgende moment lag ik met het gezicht omlaag op het gras, met boven me een wriemelende, vechtende kluwen van mannen, en verwachtte elk moment te voelen hoe staal me in het donker doorboorde. Daarop volgde geschreeuw en geroep en meer politie, en nog meer. Het was een grote warboel. Pas later hoorde ik dat Simon een sprong naar de arm van de man had gewaagd en hem had overrompeld, waarop de politiemannen ogenblikkelijk hadden gereageerd. Ik blijf me afvragen wat er anders zou zijn gebeurd.

Ik heb erover proberen te praten, maar mama wil dat niet. Ze zegt dat ik het moet laten rusten. 'Godzijdank sprong hij,' zegt ze. 'Het is zinloos om te piekeren over wat er níét gebeurd is. Het is een goede jongen. Ik ben blij dat je zo'n vriend hebt.' Meer wil ze er niet over zeggen. Oom John blijft maar herhalen hoe graag hij erbij was geweest; dan had hij ze mores geleerd, al zegt hij er niet bij hoe. Vervolgens neemt hij opnieuw de gelegenheid te baat om te zeggen hoe geniaal het van hem was dat hij de auto achteruit naar onze schuilplaats reed, alle deuren opende, de motor liet lopen, de mannen afleidde, toekeek hoe ze wegreden en toen de politie belde met zijn mobieltje. Hij maakt er een geweldig verhaal van en op de een of andere manier heeft het genoegen dat hij daaruit haalt de angst weggenomen die ik op dat moment voelde. Hij is zo tevreden met zichzelf. Maar ik moet toegeven: het was geniaal.

Simon zegt dat het anders was uitgelopen op een van die langdurige omsingelingen die je soms op tv ziet: politiemensen die telefoonleidingen uitrollen, een hoofdkwartier in een bus, cameraploegen. Uiteindelijk zouden de mannen het hebben opgegeven en mij laten gaan. 'Zolang kon ik niet wachten,' zegt hij. 'Ik moest plassen. Ik móést iets doen.' Niet alleen ongelooflijk moedig, maar ook nog bescheiden. Het allemaal weglachen blijkt de beste manier te zijn om het verleden terug te drijven, terug naar waar het hoort, in het verleden. Het allemaal tot een mooi verhaal maken blijkt de beste manier te zijn om de verwarring te bestrijden.

Er was opnieuw verwarring toen we in politieauto's werden weggevoerd en moesten wachten tot onze moeders kwamen en nog meer verwarring tijdens de urenlange ondervragingen en het nog langere wachten. Ik hoefde gelukkig niet terug naar de schuur of de wei. Ik ben er nog steeds niet heen geweest. Binnenkort ga ik terug. Ik heb Simon gevraagd of hij me dan wil vergezellen: naar de plaats waar papa werd vermoord, naar de schuur, naar die wei. Binnenkort, maar nu nog niet. Ze vroegen of ik wilde meegaan om hun te wijzen waar ik het cassettebandje en het filmpje had weggeworpen, maar ik zei dat ik dat niet wilde. Althans, ik dacht dat ik dat had gezegd. Mama vertelt me nu dat ik 'op niet mis te verstane wijze weigerde' en lacht. Het is zo ongeveer de eerste keer dat ze gelachen heeft, dus ik vind het prima. Ze wil me niet vertellen wat ik dan wel precies zei of deed en ik kan het me niet herinneren.

Simon ging wel met hen mee en ze vonden het cassettebandje en het filmpje. Ook de camera en de cassetterecorder die ik uit papa's bureau had genomen, troffen ze heelhuids aan. En ze vonden de auto achter de hooibalen. Geleidelijk raakten ze overtuigd van ons verhaal, maar er bleven vragen, vragen en nog eens vragen. Telkens weer begonnen ze over hetzelfde totdat ik zo verward was dat ik fouten begon te maken en dingen door elkaar haalde. Het leek wel of ze blij waren toen ik dat deed. Volgens mama toonde dat aan dat ik het hele verhaal niet bij elkaar had verzonnen – dat begrijp ik nog steeds niet.

Uiteindelijk viel alles op zijn plaats en bleek dat oom John van begin af aan gelijk had gehad. Hij vertelde de politie exact wat hij gedaan had: die avond in Grafton, zijn vermoeden dat Simons vader erbij betrokken was, het volgen van Simon, zijn geknoei met de bandensporen. De verhoren brachten hem behoorlijk van zijn stuk. Het duurde dagen voordat hij ervan was hersteld. De politie besloot hem niet te vervolgen, maar ik vermoed dat ze hem stevig hebben aangepakt. Zodra het proces begint, zal hij moeten getuigen. Het gaat allemaal verschrikkelijk traag. We zouden het liefst hebben dat de hele zaak voorbij en vergeten was. Aan de andere kant zal het nooit voorbij en vergeten zijn, omdat papa nooit meer terugkomt.

We weten niet of wij – Simon en ik – ook moeten getuigen. Dat stukje verwarring ligt nog op de loer. Het schijnt dat de twee mannen uit alle macht proberen de schuld op hun werkgever te schuiven. Ze zeggen dat papa's dood een ongeluk was, dat ze hem alleen maar angst wilden aanjagen. Als het erop uitdraait dat zij schuld bekennen, hoeven we waarschijnlijk niet te getuigen, zegt de politie. In zekere zin zijn wij degenen die hen hebben opgepakt, al prijst niemand ons daarvoor. Simons stoutmoedige sprong heeft hem veel bewondering opgeleverd maar voor het overige krijgen we de wind van voren: onverantwoorde risico's, spijbelen...

Toen het nieuws bekend werd, begon Kylie ineens bij Amy en mij te slijmen en wilde ze vriendschap sluiten. Ik zei haar dat ik voorlopig schoon genoeg van bullebakken had, waarop ze afdroop. Ik weet nu wie mijn vrienden zijn. Nu wel. Je kunt je daar ontzettend in vergissen.

'Kijk naar de toekomst,' zegt oom John. Voor een deel heeft hij gelijk, denk ik, voor een deel. Het verleden is waar we vandaan komen, waar we zoveel dingen die ons aan het hart gaan, hebben achtergelaten. Ik wil de goede stukjes bewaren, ik wil papa niet vergeten. Het is niet goed om het verleden om te vormen tot een vakantiefolder met van die foto's waaruit alle lelijkheid is weggeknipt. Het leven is nu eenmaal mooi en lelijk door elkaar. Wanneer je het verleden verdringt, gaat het in een hinderlaag op de loer liggen. Maar wie het donker trotseert, ziet het oplichten.